佐々木常念監修
スキー
レベルアップバイブル
正しい技術で完全走破!
増補
改訂版
メイツ出版
JN193335

はじめに

スキー技術は生き物です。

日本にスキーが伝わって100余年と言われていますが、さまざまなテクニックが生まれ、変化をしながら現在に至っております。

これからも、用具の進化に伴い、技術も変化していくでしょう。

しかし、全てが変わるわけではありません。

２本のスキーの上でバランスを保ち、重力をうまく使いながら滑るという土台は変わりません。

この普遍的なベースの技術を磨き、一方で個性を大事にして技術を組み立てることがレベルアップになります。

スキーは自然の中でのスポーツです。

どんな雪質でも強引に捻じ伏せるような滑りではなく、雪質や斜面状況など、自然に逆らわないで滑ることが大事です。

本書が、これからの皆さまの上達の参考書として、長く使っていただければ幸いです。

佐々木常念

※本書は2018年発行の『スキー　レベルアップバイブル　正しい技術で完全走破!』を元に、内容の追加と必要な情報の確認を行い、「増補改訂版」として新たに発行したものです。

どちらからはじめる？
バランス重視か、回転性重視か。

本書では、確実なブレーキを使い、様々な雪質を滑りやすい「バランス重視」の滑り方と、スキーの形状をフルに活用した「回転性重視」の滑り方を紹介しています。それぞれの滑りは体の使い方が変わるだけで、基本的な動きは同じです。自分が目指している滑りや、ゲレンデの状況に合わせて、使い分けてみましょう。

バランス重視

■滑りの特徴

体の真下でスキーを操作する
ブレーキの量を調節しやすい
バランスが取りやすい
コブや新雪などの不整地でも使いやすい
モモを起こした高い姿勢が基本

両脚を並行にするまでに時間がかかる
カービング要素の強い滑り
検定の高速種目
スピードが求められるポール

回転性重視

■滑りの特徴

体からスキーを離して操作する
スピードを保ちやすい
あまり時間をかけずに両脚をそろえられる
カービングターンに適している
脚を体から離すため、低い姿勢が基本

不整地ではターンが難しい
バランスが取りにくい
極端なブレーキがかけられない
ターン弧の調節が難しい

○の要素はやりやすく、×の要素はやりにくい

上達するほど、×の要素もできるようになる

ターンのキホン

スキーの上で立っているだけでは、まっすぐに進むだけです。ここではバランス重視と回転重視、それぞれのスキーの動かし方を簡単に紹介します。細かい動きについては、本編で説明していきます。読み進める前に、この基本を覚えましょう。

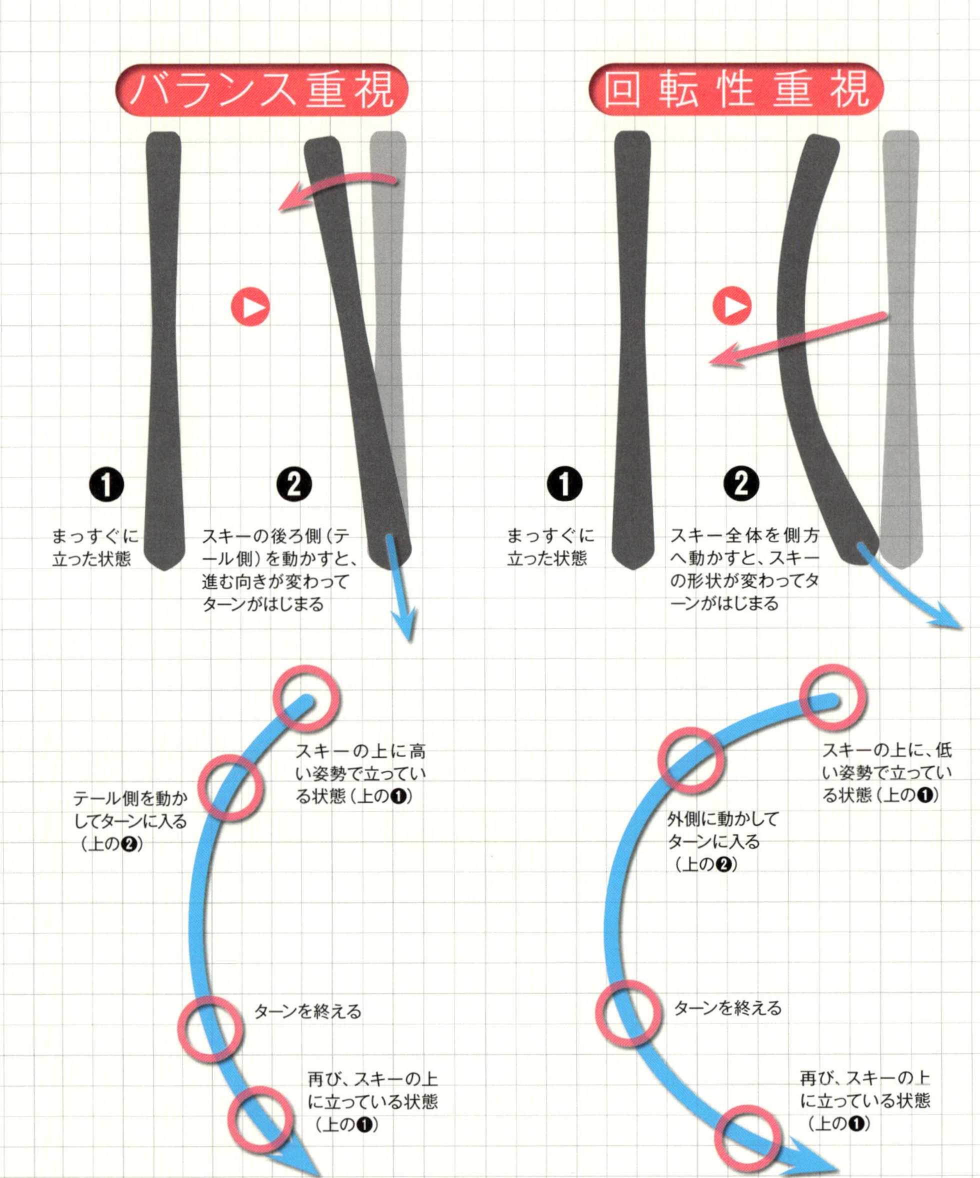

バランス重視
❶
まっすぐに立った状態
❷
スキーの後ろ側（テール側）を動かすと、進む向きが変わってターンがはじまる
回転性重視
❶
まっすぐに立った状態
❷
スキー全体を側方へ動かすと、スキーの形状が変わってターンがはじまる
スキーの上に高い姿勢で立っている状態（上の❶）
テール側を動かしてターンに入る（上の❷）
ターンを終える
再び、スキーの上に立っている状態（上の❶）
スキーの上に、低い姿勢で立っている状態（上の❶）
外側に動かしてターンに入る（上の❷）
ターンを終える
再び、スキーの上に立っている状態（上の❶）

練習は、やさしい→難しいの順に

はじめてトライする練習や難易度の高い練習ほど、やさしい条件から難しい条件にします。

ここでは3つの条件の原理原則を紹介します。

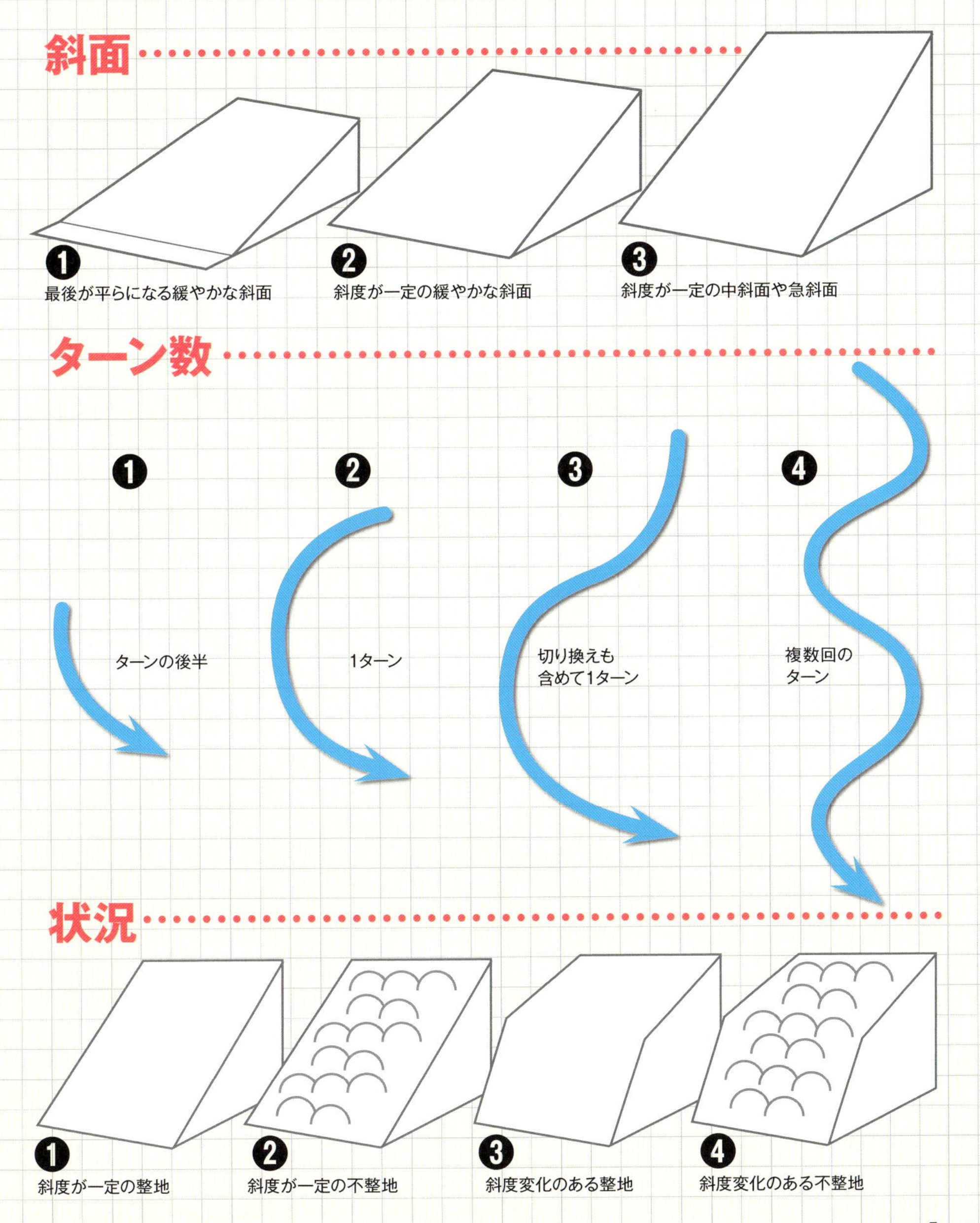

斜面
❶
最後が平らになる緩やかな斜面
❷
斜度が一定の緩やかな斜面
❸
斜度が一定の中斜面や急斜面
ターン数
❶
ターンの後半
❷
1ターン
❸
切り換えも
含めて1ターン
❹
複数回の
ターン
状況
❶
斜度が一定の整地
❷
斜度が一定の不整地
❸
斜度変化のある整地
❹
斜度変化のある不整地

■本書の使い方

本書は、どのページからでも読めるように構成しています。ですがはじめてご覧いただく方のために、本書の見方を説明します。

アイコン
バランス重視と回転性重視、どちらのテクニックで使える内容かを表しています。両方書かれている場合は、両方のタイプで使えるテクニックです。

コツ 10 Part 1 ターンの基本とチェックポイント

ストックワーク

バランス重視
回転性重視

ストックは、動きのじゃまをしないように構えて突く

タイトル
習得する技術や特徴を1文にまとめています。

POINT
タイトルの内容を習得する際に、ポイントとなる項目をまとめています。

POINT
❶ターンの後半に構えはじめる
❷エッジが切り換わってから突く
❸エッジが換わる前に突くと体がつまる

ストックは、タイミングとバランス取りに有効

意外と、ストックに気を使わない人が多い。ストックを突いてターンのキッカケを作ったり、大きく振り回すように突く人もいる。

ストックの役割は、タイミング取りとバランス取りになる。中でも重要なのがタイミング取りだ。一定のリズムで動かすことで、バランスを多少崩しても、一定のターン弧で滑れるようになる。注意するポイントは、エッジが切り換わる前に突かないこと。前に突いてしまうと、体の落下をじゃましてしまう。

30

具体的な説明
このページで習得する内容を、文章で解説しています。

各ポイント
ポイントに取り上げた内容の解説が書かれています。

写真
各ポイントの動きの写真です。NGのアイコンがあるものは、よくない動きの写真になります。

POINT 1

ターンの後半に構えはじめる

どこで構えてどこで突くと場所を決めるよりも、ゆっくりと動かし続けることが大切だ。動かし始める目安はターンの後半。この辺りで徐々に構えるようにすると、切り換えるタイミングが取りやすい。

POINT 2

エッジが切り換わってから突く

エッジを切り換えるためには、スキーよりも山側にある体が、スキーよりも谷側に動く必要がある。ところがその前にストックを突いてしまうと、体が谷側へ動けなくなってしまう。体が谷側に動いてから突くことが大事だ。

POINT 3

エッジが換わる前に突くと体がつまる

右の写真のように、エッジが切り換わる前にストックを突いてしまうことが多い。すると体はストックに止められてしまい、次のターン方向へ移動できなくなる。その結果、楽でスムーズな切り換えができなくなる。

NG

できないときはココ
早くストックを突いていないかを確認する。構えてワンテンポ待つくらいでよい。

チェックしよう!
□ターン後半から徐々にストックを動かせているか
□ストックが切り換えのじゃまをしていないか

31

上手くできないときは
できないときに見直す動きや上手くできるコツを紹介しています。

まとめ
このページの目的となる動きや感覚をまとめています。

スキー　レベルアップバイブル　増補改訂版
正しい技術で完全走破！

CONTENTS

Part3 自在なショートターンを身につける 55

Part4 コブを攻略 77

Part5 新雪、クラストを征服 99

Part 1

ターンの基本とチェックポイント

２種類の滑り方を知る

バランス重視
回転性重視

ターンには、バランス重視と回転性重視がある

POINT

1. バランス重視は、高い姿勢で脚中心のスキー操作
2. 回転性重視は、低めの姿勢で股関節中心のスキー操作

滑り方には２つのパターンがある

昔から、用具の進化に伴い様々な技術や理論が作られてきた。なかには、どう考えても「？」が浮かぶような理論が主流になってきたこともある。

本書では、目的に応じた２つのパターンの技術の紹介と習得を目指していく。

２つのパターンとは、バランス重視パターンと回転性重視パターンになる。

バランス重視はスピードコントロールに優れる、回転性重視はスキーの性能を引き出す滑り方になる。

POINT 1

バランス重視は、高い姿勢で脚中心のスキー操作

常にスキーの真上の体を置いて滑ることで、バランスを保てる

重心を極端にターン内側へ入れず、脚を中心にターンに入る

高い姿勢でターンを終え、安定したまま切り換える

バランス重視の滑りは、スピードのコントロールがしやすいのも特徴。そのため、中速で滑る場合だけでなく、コブや不整地、新雪や深雪などのラフ斜面を滑る場合にも、有効な滑り方となる。

POINT 2

回転性重視は、低めの姿勢で股関節中心のスキー操作

姿勢を低くし、脚のストロークを長く使う。スピードや深いターンがしやすくなる

身体をターンの内側へ入れることで、スキーを外側に動かして深いターン弧を描く

低い姿勢でターンを終え、スピードや遠心力に負けない姿勢で切り換える

回転性重視の滑りは、カービングスキーの曲がりやすい特徴を活かした滑りになる。またスキーのたわみが大きくなるため、競技などスキーを加速させたい場合に必要となる。主にグルーミングされたバーンで使う技術。

できないときは ココ

まずは、滑りに2つのパターンがあることを理解する。

チェックしよう!

□2つのパターンの動きや特性が理解できたか
□パターンには、バランス重視と回転性重視がある

ターンの仕組みを知る①

バランス重視
回転性重視

スキーと体が離れるからターンになる

どちらのパターンでも、スキーを離す動きは同じ（写真は回転性重視）

スキーと体が離れるとターンが始まる。上半身が中に入るのは、補助動作

ターンの終わりは、次に体とスキーを離す動きの準備にもなる

スキーの向きが変わるからターンがはじまる

簡単にターンができる滑り方がプルークボーゲン。これはスキーを予め、曲がりたい方へ向けながら滑るスタンスだからだ。

スキーを並行にしても理屈は同じ。重心を移動してエッジを切り換え、並行なスキーを体から離すことで、体の向きとスキーの進む方向が変わり、ターンが始まる。

もちろんこのときには、重心の位置や足裏のポジション、スキーへの重さなどの要素も重要となるが、まずはこのページで、シンプルなターンの理屈を理解しよう。

POINT

❶クルマのハンドルを切るようにスキーの向きを変える
❷スキーを動かせないと体を動かすことになる

POINT 1

クルマのハンドルを切るようにスキーの向きを変える

どちらのパターンでも、切り換える前は体の真下にスキーを置く
スキーを動かすことで、ターンがはじまる
スキーが離れるとこのようなシルエットができる

スキーを体から離すといっても、一気に離すわけではない。特に大事なのはトップ。トップの向きが一気に変わってしまうと、急激に曲がるどころかブレーキになって転びやすい。クルマのように、徐々に向きを変える。

POINT 2 NG

スキーを動かせないと体を動かすことになる

切り換えでつま先側に動きすぎると、脚を自在に動かせなくなる
脚が動かないため、上半身を傾けたり、ひねることでターンに入るしかない
すると両スキーの向きがバラけたり、バランスを崩して上手くターンできない

ターンでよく見る動きが、上半身を一気にターン内側へ入れること。上半身は、下半身や重心を移動する際の補助動作でしかない。このことが理解できていないと、上手なスキーヤーの格好だけを真似てしまうことになる。

できないときはココ

いろいろな要素を同時に考えず、
まずはターンの仕組みを理解する。

チェックしよう!

□なぜターンになるかという
　ターンの仕組みが理解できたか
□スキーを動かすイメージが持てたか
□スキーから体を離せたか

コツ

03

ターンの仕組みを知る②

バランス重視
回転性重視

スキーの離し方はスキーを外側に動かす

POINT
❶バランス重視ではテール側を動かす
❷回転性重視ではスキー全体を動かす

バランス重視はテール側、回転性重視はスキー全体

ここでは、スキーを体から離すときの動きを紹介する。

バランス重視では、テール側を大きく動かすことがポイントになる。テール側を動かすと、スキーが雪面を大きく削ってくれるため、適度なブレーキをかけながらターンができる。

一方、回転性重視では、スキー全体を動かす。スキー全体を動かすとスキーがあまりズレずに大きく体から離れるため、よりシャープで深いターンができる。

POINT 1

バランス重視ではテール側を動かす

つま先側に体重を乗せ、テール側を動かしやすくする

体重の乗り方が少ないカカト側を、ターン外側に開いていく

テール側を開きながら、徐々に体重を足裏全体に移す

テール側を動かすためには、テール側を軽くして、動かしやすくする必要がある。そのため動かす前のポジションは、つま先寄りになる。テール側が動いたら徐々に体重を足裏全体に移し、しっかりとブレーキの感覚をつかむ。

POINT 2

回転性重視ではスキー全体を動かす

スキー全体を動かせるように、少し体全体を山側に置く

自分の全体重を外脚に乗せるつもりで、スキー全体を外側へ動かす

体重が乗り切ると、バランスを崩さずにスキー全体が体から離れる

ターン前半でスキー全体を動かすには、切り換えでエッジを外すことが重要。そうしないとスキーが雪面に食い込んでいて動かせない。ポジションは足裏全体。上半身の重さもスキーに乗せるようにして、外側へ離す。

できないときはココ

実際にターンで使う前に、このページのように斜滑降で練習し、感覚をつかむとよい。

チェックしよう!

□テール側が動かないときは、体重がカカトに乗っている
□スキー全体が動かないときは、エッジが雪面に食い込んでいる。もしくは、体重を動かすスキーに乗せきれていない

コツ 04 スキーに体重を乗せる①

バランス重視
回転性重視

スキーに体重を乗せる動きを覚える

POINT

❶ターン前半は、脚を伸ばしながら重さを乗せる
❷体重が乗れば、スキーがたわむポイントができる
❸後半は上半身をスキーに寄せながら重さを乗せる

体重を乗せるとは、スキーへ力を伝えること

スキーではよく、「体重を乗せる」という言葉を使う。ところが、なんとなくイメージはできるものの、動きに表すのは難しい。

実はターンの中では、前半や後半によって必然的に体重の乗り方が変わる。ターン前半はスキーを体から離すために、脚を伸ばしていく。これは圧をスキーに加えることから、加圧と言われることもある。一方後半は、次のターンに動きやすい姿勢を作るために、スキーへ近づいていく。このように、場所に応じて使い方も変わってくる。

POINT 1

ターン前半は、脚を伸ばしながら重さを乗せる

前半はスキーと体を離すために、スキーをターン外側へ押していく動きになる。その結果、脚が伸びるように見える。脚を伸ばす意識を持ってしまうと、力がスキーに伝わらずに上に抜けてしまうので注意する。

POINT 2

体重が乗れば、スキーがたわむポイントができる

いつまでもターン前半のように脚を伸ばしていると、体が山側に残ってバランスを崩す。たわんだ時間を過ぎたら、外脚のつけ根を曲げるようにしてスキーに体を近づける。そうすることで、切り換えやすい姿勢ができる

POINT 3

後半は上半身をスキーに寄せながら重さを乗せる

いつまでも脚を伸ばしていると、体が山側に残ってバランスを崩す。たわんだ時間を過ぎたら、外脚のつけ根を曲げるようにしてスキーに体を近づける。すると切り換えもしやすい姿勢ができる。

できないときは ココ

大切なのはターン前半の体重の乗せ方。
前のページの動きを使ってターンに入る。

チェックしよう!

□ターン前半に、雪面を押すような感覚があるか
□ターン後半に、山側にバランスが崩れない
□スキーへの体重の乗せ方がイメージできたか

スキーに体重を乗せる②

バランス重視
回転性重視

スキーや雪面に力を伝える感覚をつかむ

切り換えで内脚を持ち上げると、スキーを押しつける感覚がつかみやすい

上げた脚はフォールライン辺りで下す

後半は次のターンに向けて動きやすい姿勢を作る

感覚をつかめば、良し悪しが自分で判断できる

体重を乗せる、という感覚をより良いものにするために、室内での練習方法を紹介する。

ターン前半に力を加えていく感覚は、人の重さをじわっと持ち上げる感じに似ている。全力で一気に持ち上げると上に力が抜けるため、あくまでもじわっと動くことが大切。またターン後半の感覚は、人から押される力に少しだけ負けて小さくなるような感じだ。

なお体重を乗せるときには、このページのNGで紹介したとおり、姿勢も大切になる。

POINT

1. スキーを押しつける感覚は人を持ち上げる感覚
2. スキーに近寄る感覚は重さに自分で負ける感覚
3. 姿勢が悪いと、うまく力が伝えられない

POINT 1

スキーを押しつける感覚は人を持ち上げる感覚

ペアになり、相手の手を自分の両肩に乗せてもらう。自分は相手の手を持ち上げるように、じわっと脚を伸ばす。力を加えて地面を押した結果、相手の手が持ち上がるような感覚があればOK。

POINT 2

スキーに近寄る感覚は重さに自分で負ける感覚

後半の体重の乗せ方は、相手に両肩を押してもらい、その力に負けてフトモモを曲げていくときの感覚に似ている。フトモモが完全に寝て硬くなった状態ではなく、完全に寝る手前までの感覚が後半の体重を乗せる感覚になる。

POINT 3

姿勢が悪いと、うまく力が伝えられない

胸を反らしすぎてカカトに体重が乗った姿勢や、前のめりになりすぎてつま先に体重が乗った姿勢では、上手く相手の重さを持ち上げられない。それどころか、相手の重さに体がつぶされてしまう。

NG

できないときはココ

相手が全力で押すと、難しい場合もある。
相手に適度な力加減をしてもらおう。

チェックしよう!

- □地面を押した結果、相手の手が持ち上がる感覚があったか
- □相手に押される力に負けながら、フトモモが寝ていく感覚がつかめたか

コツ 06

スキーに乗る姿勢①

バランス重視
回転性重視

前後上下左右に動ける姿勢を取る

POINT

1. コントロール重視はフトモモを起こした姿勢
2. 回転性重視はフトモモを横に伸ばせる姿勢
3. ベースの姿勢から動き元の姿勢に戻る

滑りのパターンに合わせた姿勢を取る

どのようなスポーツにも基本姿勢がある。その姿勢に共通しているのは、足首とヒザ、股関節を適度に曲げていること。どの方向にも動けるニュートラルな位置であることから、ニュートラルポジションとも呼ばれる。

スキーでは、滑り方のパターンに合わせて関節の曲げ具合が異なる。バランス重視では、関節の曲げ具合を少なくする。一方回転性重視では、関節の曲げ具合を大きくする。このような姿勢を取ることで、効率よくスキーを動かせる。

POINT 1

コントロール重視は フトモモを起こした姿勢

フトモモを起こした姿勢は、体の真下に力を加えやすい。そのため、自分の立ち位置を崩さないことに適した姿勢と言える。ただし、脚を大きく動かしにくい姿勢のため、深いターンを描こうとするとバランスを崩しやすい。

POINT 2

回転性重視はフトモモを 横に伸ばせる姿勢

関節を深く曲げた姿勢は、脚を左右に伸ばして力を加えやすい。そのため、より深いターンをする際に適した姿勢と言える。また前後のバランスも保持しやすいため、スピードにも強い。ただし上下の動きには弱くなる。

POINT 3

ベースの姿勢から動き 元の姿勢に戻る

スキーでは主に、ターンで左右に、スピードで前後に、雪面の凹凸で上下にバランスを崩される。それに対して、適切な姿勢を取ってバランスを保つ。ターンが終わるごとに上で紹介した姿勢に戻ることも重要になる。

できないときは ココ

足首とヒザ、股関節は、同じ角度に曲がっているのが基本。角度がズレているとバランスが取りにくい。

チェックしよう!

- □前後上下左右に動ける姿勢か
- □足首とヒザ、股関節が適度に曲がっているか
- □その姿勢に合った動きができているか
- □ターンごとに元の姿勢に戻れているか

スキーに乗る姿勢②

バランス重視
回転性重視

ターン中に変わる姿勢を覚える

POINT
❶バランス重視の姿勢
❷回転性重視の姿勢

ターンの要所要所で変わる姿勢

基本となるニュートラルな姿勢を維持していれば、安定して滑れるわけではない。切り換えやターン前半、ターン後半と向かう方向や斜度が変わる局面に応じて姿勢も変わる。逆に一定の姿勢を保とうとすると、力が入りすぎてバランスを崩す原因となってしまう。

大切なのは、動きやスキーが進む方向によって、姿勢も変わるということ。そのためには、メインとなる動きの感覚を知ること。その感覚が良いほど、よい姿勢が取れているといえる。

POINT 1

バランス重視の姿勢

高いニュートラル姿勢で切り換える
高い姿勢のまま脚を外へ動かし、バランス重視のターンに入る
谷スキー側へ体を運び、ニュートラル姿勢に戻る

このパターンでは、ターン前半に大きく雪面を削ってコントロールすることが重要。雪面はテールで削るため、テール側を動かせるように、つま先側へ乗れる姿勢になる。

POINT 2

回転性重視の姿勢

低めのニュートラル姿勢で切り換える
脚のストロークを長く使う。ターン外側へ動かして、回転性のよいターンに入る
上に抜けないように、フトモモを起こさずに谷スキー側へ動く

このパターンでは、脚のストロークを使ってスキーと体を大きく離す。ターン前半は前傾を強め、後半はカカト側に乗ってテール側を押さえる。

できないときは ココ

下半身が動いた結果、姿勢も変わる。
上半身を意識して動かすのはNG。

チェックしよう!

- □ターンの要所ごとに適切なポジションが取れるか
- □力んで姿勢を維持しようとしていないか
- □メインとなる脚の動きがスムーズにできるか

エッジング

バランス重視
回転性重視

エッジングは、エッジを立てて体重を乗せる

POINT
1. 関節を使ってエッジを立てる
2. 体重を乗せるとエッジングになる

エッジングが必要な理由

エッジの大きな役割の一つは、雪面に食い込むこと。例えば雪面に立つだけでも、エッジがなければ流れ落ちてしまう。このエッジの特性を有効に使うのがエッジングだ。

エッジングとは、エッジを立てる動きと、スキーに体重を乗せる動きがミックスされたことをいう。エッジを立てるだけでは体重が乗りにくく、体重を乗せるだけではエッジが立ちにくい。

コツ04や05の動きと連動して、エッジを使う動きを覚えよう。

POINT 1

関節を使って エッジを立てる

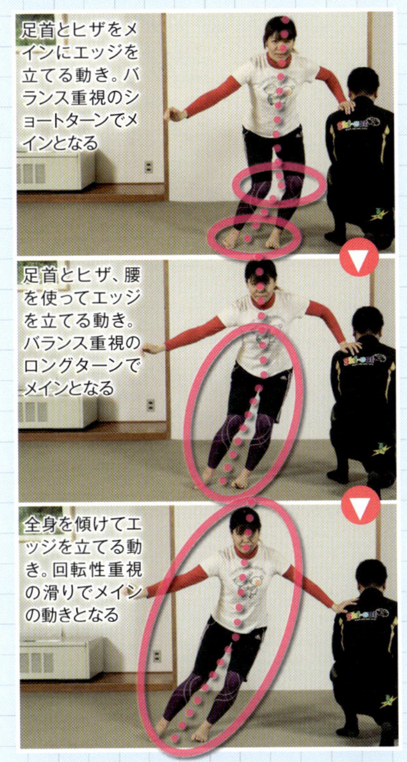
足首とヒザをメインにエッジを立てる動き。バランス重視のショートターンでメインとなる
足首とヒザ、腰を使ってエッジを立てる動き。バランス重視のロングターンでメインとなる
全身を傾けてエッジを立てる動き。回転性重視の滑りでメインの動きとなる

エッジを立てるために動かす部位は、足首・ヒザ・腰・全身になる。基本的には、メインで使う部位から下の関節はすべて使う。例えば全身の場合には、体を傾けるだけでなく、足首もヒザも、腰も使ってエッジを立てる。

POINT 2

体重を乗せると エッジングになる

バランス重視のショートターンのエッジング

バランス重視のロングターンのエッジング

回転性重視のショートターンのエッジング

エッジを立てながら、体重を乗せた状態がエッジング。エッジングは、エッジを立てて体重を乗せるといった独立した動きではない。エッジを立てながら、体重を乗せていくという一体の動きとなる。

できないときは ココ

大きな関節だけを曲げていないか、エッジを立てるだけで体重を乗せていないかを確認する。

チェックしよう!

- □それぞれの関節を使ったエッジングができるか
- □エッジングの使い分けができるか
- □エッジを立てながら体重を乗せられるか

上半身と先行動作

バランス重視
回転性重視

先行動作は、メインの動きをしやすくする

ターン後半の終盤は、次のターン方向に上半身と視線を向けていく

前のターンで作った先行動作のまま、切り換えていく

視線の向きは常に先行させ続ける

先行動作があると、次のターンに楽に入れる

ターンを連続しながら滑るスキーでは、一つの動作が次の動きに影響する。ターン前半の動きはターン中盤に、中盤の動きは後半に、そして後半の動きは次の前半につながる。

先行動作を使うのは、次のターンに入る手前だ。言葉では切り換えになるが、実際には前のターン後半の後半部分になる。この部分で視線や上半身の向きを、次に行きたい方へ向けていく。これが先行動作の基本となる。極端にバランスを崩す動きをすると、失敗につながるので注意が必要だ。

POINT

1. 動きを先取りしていく
2. メインの動きをよりやりやすくする
3. 動かしすぎるとメインの動きになる

POINT 1

動きを先取りしていく

右の写真では、スキーの向きに対して、視線と両指の向きがより下側を向いている。これは、次にどの方向にスキーを動かしていくかという先取りをした状態。先行動作とは、このように次の動きを先取りした動きになる。

POINT 2

メインの動きをよりやりやすくする

体とスキーの向きが同じだと、スキーを体から離す動きがやりにくい。視線や上体をターン内側へ向けることで、体とスキーの向きが変わり、スキーを離しやすくなる。メインの動きをやりやすくするのも、先行動作のメリットだ。

POINT 3

動かしすぎるとメインの動きになる

先行動作でありがちなNGは、ターン外側の腕を上げすぎてターンに入ったり、視線をフォールラインではなく、斜面の真下側を見てしまうこと。こうなると、スキーを離せなかったり、離した瞬間にバランスを崩してしまう。

NG

できないときは ココ

ノーストックでPOINT 1のような滑りをし、視線と体の向きをつかむ。

チェックしよう!

- □上体から動きはじめてしまい体を傾けすぎていないか
- □視線を先行させすぎていないか
- □スキーをしっかりと体から離せるか

ストックワーク

バランス重視
回転性重視

ストックは、動きのじゃまをしないように構えて突く

POINT

1. ターンの後半に構えはじめる
2. エッジが切り換わってから突く
3. エッジが換わる前に突くと体がつまる

ストックは、タイミングとバランス取りに有効

意外と、ストックに気を使わない人が多い。ストックを突いてターンのキッカケを作ったり、大きく振り回すように突く人もいる。

ストックの役割は、タイミング取りとバランス取りになる。中でも重要なのがタイミング取りだ。一定のリズムで動かすことで、バランスを多少崩しても、一定のターン弧で滑れるようになる。注意するポイントは、エッジが切り換わる前に突かないこと。前に突いてしまうと、体の落下をじゃましてしまう。

POINT 1

ターンの後半に構えはじめる

どこで構えてどこで突くと場所を決めるよりも、ゆっくりと動かし続けることが大切だ。動かし始める目安はターンの後半。この辺りで徐々に構えるようにすると、切り換えるタイミングが取りやすい。

POINT 2

エッジが切り換わってから突く

エッジを切り換えるためには、スキーよりも山側にある体が、スキーよりも谷側に動く必要がある。ところがその前にストックを突いてしまうと、体が谷側へ動けなくなってしまう。体が谷側に動いてから突くことが大事だ。

POINT 3

エッジが換わる前に突くと体がつまる

右の写真のように、エッジが切り換わる前にストックを突いてしまうことが多い。すると体はストックに止められてしまい、次のターン方向へ移動できなくなる。その結果、楽でスムーズな切り換えができなくなる。

NG

できないときは
ココ

早くストックを突いていないかを確認する。
構えてワンテンポ待つくらいでよい。

チェックしよう!

□ターン後半から徐々にストックを動かせているか
□ストックが切り換えのじゃまをしていないか

COLUMN

一般スキーヤーに聞く
いまどきのスキー事情 01

ヘルメットの普及

近年、ゲレンデにてヘルメットをかぶっている人を多く見かけるようになった。欧米ではヘルメットの着用率が80%以上と言われる中、日本国内でも年々普及率が上がってきている。一見するとごついイメージや重たそうと思いがちだが、実際にヘルメットを着用している方によると、「一度かぶったら、ニット帽には戻れない」という声を耳にする。それでは、ヘルメットの何がよいのか、スクール受講生である一般スキーヤーの皆さまに聞いてみた。

第1位 主な声

安心感、安全性

「転倒して意識をなくした友人を目にしてから、安全の意味でかぶるようになった」(60代男性)
「周りでかぶる人が増えたから。その後転倒したけれども、おかげさまでケガをしなかった」(40代女性)

第2位 主な声

保温性

「極寒日でも暖かい。ヘルメットとゴーグル、ネックウォーマーをすれば完ぺき」(30代女性)
「耳が凍傷になったことがあり、保護できるものを探していた。ヘルメットをかぶればほとんどの寒さを防げる」(50代男性)

第3位 主な声

ファッション性

「人と同じデザインは嫌だと思ったけど、種類が豊富でウェアに合わせたものが買えた」(60代女性)
「ゲレンデではニット帽の方が少なくなってきて、ヘルメットをかぶっていないと流行に乗り遅れてる感じがする」(40代男性)

Part 2

思い通りの
ロングターンを覚える

コツ 11

Part 2 思い通りのロングターンを覚える

ズレを使って滑る①

バランス重視
回転性重視

体とスキーの向きを変え ズレに乗って滑る

スキーに対して体をターン外側へ向けて切り換える

テール側を大きく外側へ動かす

その結果、適度にズレながらスキーが回ってくる

体をターン外側に向けるほど、ズレが大きくなる

スキーと体が同じ方向を向くほど、エッジは雪に食い込みやすくなる。逆にスキーと体の向きが変わるほどエッジは食い込みにくく、ズレが生じて大きなブレーキがかかる。

バランス重視のロングターンの場合は、適度なズレを使い、ブレーキをかけながら滑ることが重要だ。そのためには、スキーと体の向きを変えることと、テール側を大きく体から離して滑ることがポイントになる。ただしスキーに対して腰を内側に入れたり、フトモモを過度にヒネるような動きはしないこと。

POINT

❶体はターン外方向に大きく向ける
❷テール側を大きく動かしてターンに入る

POINT 1

体はターン外方向に大きく向ける

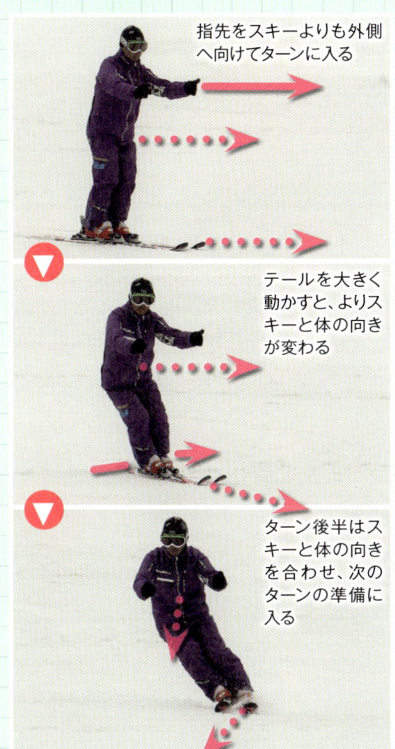

指先をスキーよりも外側へ向けてターンに入る
テールを大きく動かすと、よりスキーと体の向きが変わる
ターン後半はスキーと体の向きを合わせ、次のターンの準備に入る

ターン外側を向く目安は、おへその向きが外スキーのトップ側を向く程度。この辺りがバランスを崩さずにテールを動かせる限界になる。これよりも外側を向くと、お尻がターン内側へ入り、バランスを崩してしまう。

POINT 2

テール側を大きく動かしてターンに入る

次のターンの外スキーのテール側を大きく持ち上げる
テール側で宙を押すようにして、スキーを体の外側へ動かす
スキーが雪に着くと、大きくズレながらターンが始まる

テールを動かす感覚を覚える練習方法。外スキーを持ち上げたときの姿勢が、実際の切り換えでも必要になる。また、持ち上げたスキーをすぐに下ろすのはNG。空中を押したら結果的に下りていた、という動きが理想だ。

できないときはココ

体の向きとテールを動かす動きを分けて練習してみる。

チェックしよう!

- □体の向きは、おへそが外スキーのトップを向いているか
- □テールを大きく外側へ動かせているか
- □無理な力を使わずに、テールを大きく動かせるか

ズレを使って滑る②

バランス重視
回転性重視

斜面に垂直に立ち おへそを両スキーの間に置く

POINT

1. 前後左右上下に動ける姿勢からターンに入る
2. 両脚のフトモモを伸ばした姿勢を取る

ニュートラルな姿勢に戻る

バランスを取りやすい姿勢からターンに入り、再びその姿勢に戻るという一連の流れを連続することが重要になる。

そのため、ここではバランスを取りやすい姿勢を覚えるポイントを紹介していく。

まずは重心を両スキーの間に置くこと。とはいえ、重心の位置を明確に感じれる人は少ない。そのため、おへその位置を目安にするとわかりやすい。また、両脚のフトモモが起きていることも大切。おへそとフトモモ、この２つのポイントを意識して、バランスを取りやすい姿勢を作ろう。

POINT 1

前後左右上下に動ける姿勢からターンに入る

ストックを持たず、両手をそれぞれのフトモモに置いて滑る

切り換え時も、両手をフトモモから浮かせない

そのままの姿勢でターンに入る

両手をフトモモに置くことで、常に重心を両スキーの間に置く感覚がつかめる。またターン中は、ある程度ポジションが前後にズレてしまう。切り換えでは、ズレたポジションを土踏まず辺りに戻す動きが大切になる。

POINT 2

両脚のフトモモを伸ばした姿勢を取る

1本のストックを持って滑る。ストックはターン外側の手で持つ

切り換えるときに、体の真ん中でストックを持ち変える

両手でストックを持つ時間をしっかりと作る

フトモモを起こす感覚を覚える練習方法。おへその正面で持ち変えることで、よい姿勢がつかめる。このときに上半身から動くのではなく、コツ04や05のように、斜面を押していくようにすると、安定感が感じられる。

できないときはココ

緩やかな斜面や、静止した状態で、
ポジションを確認してから滑る。

チェックしよう!

- □おへその位置を両スキーの間に保てているか
- □切り換えでフトモモが起きているか
- □安定感を感じられるか

ズレを使って滑る③

バランス重視
回転性重視

谷脚側に体を落として ターンを仕上げる

ニュートラルな姿勢を作ってターンに入る

スキーを体から離してターンに入る

外スキー側へ体重を落としてターンを仕上げる

外脚に乗りやすい姿勢ができる

バランスを重視する滑りとは、常にズレを使ってスピードをコントロールする滑りだ。そのため、体の向きや傾きも、大きなズレに適したものになる。それが、ターンの外側を向き、ターン外側に傾いた姿勢だ。

とはいえ、この姿勢は自分で作るものではなく、大きなズレを作ろうとして自然にできるもの。自分からこの姿勢を作ってしまうと、メインの目的であるバランスが崩れてしまう。

まずは姿勢を作ることではなく、体重を外スキー側へ落としていくことが大切だ。

POINT

1. 外脚の側へ体を落とす
2. 結果的に外脚に乗りやすい姿勢になる
3. 外側に乗れないとスキーがズレにくい

POINT 1

外脚の側へ体を落とす

大きく体から離したスキーを、胸でより外側に押していくと、外脚に乗りやすい。大事なのは、脚が動いた後で上半身が動くこと。先に上半身を動かすと、スキーに十分に体重が乗らない。

POINT 2

結果的に外脚に乗りやすい姿勢になる

外スキーを体から離し、ターン後半に胸でさらにスキーを押すと、このような姿勢ができる。コツ11でも紹介したように、スキーの向きと体の向きが異なるため、大きなズレが生まれやすく、ズレに乗りやすい姿勢となる。

POINT 3

外側に乗れないとスキーがズレにくい

よくあるNGが、スキーを回そうとして上半身がスキーと同じ方向を向いてしまったこの姿勢。こうなると結果的に内スキーに体重が乗る。すると内スキーのエッジが食い込み、ズレが減り、バランスも崩しやすい。

NG
×

できないときは
ココ

プルークなどコントロールしやすい滑り方で、スキーをターン外側へ押していく感覚をつかむ。

チェックしよう!

- □脚→胸の順に動かせているか
- □大きなズレを感じられるか
- □結果的によい姿勢ができているか
- □一定のスピードで滑れたか

コツ 14

ズレを使って滑る④

バランス重視
回転性重視

上半身は、腰の上に楽に乗せる

POINT

❶上半身を動かしていく方向をつかむ
❷腕を極端に動かさず安定させる

全体重をスキーに乗せて滑る

バランスを取りながら大きなズレを作るには、上半身の重さを上手くスキーに乗せることも大切になる。上半身が力んでしまったり、下半身と違う動きをすると、上半身の重さが上手くスキーに乗せられなくなる。

上半身の重さを上手くスキーへ伝えるには、背伸びをして着地したときのように、楽に上半身を腰の上に乗せること。このような感覚が持てると、自分のすべての重さをスキーに伝えられる。

POINT 1

上半身を動かしていく方向をつかむ

内側の指で行きたい方を指す。外側の手は腰に当てる

スキーがターンを始めても、指先は次に行く方向を指し続ける

外側のヒジで外スキーを押す意識を持つと、上半身が安定する

自分が進みたい方向を、明確に持つことがポイントになる。進む方向がばく然としていると、上半身の向きも安定しない。指で進みたい方向を指すことで、上半身の向きも安定する。

POINT 2

腕を極端に動かさず安定させる

ストックを両手首に乗せて滑る

視線は行きたい方を向けながら、ストックを落とさないように滑る

ストックは常に斜面に対して平行が理想

上半身をどっしりと腰の上に乗せて滑るには、腕が安定していることが必要になる。この練習のようにストックを乗せると、腕を安定させる感覚がつかめる。ただし、背中辺りに力が入りすぎないように注意。

できないときは ココ

半身よりも先に上半身が動いてしまうと、まったく感覚が得られない。

チェックしよう!

□視線や胸が思いどおりの行きたい方向を指しているか
□腕は暴れずに安定しているか
□上半身が力んでいないか

ズレを使って滑る⑤

バランス重視
回転性重視

バランス重視ロングのよくあるNGと対策

POINT
❶フトモモが起きないときは、踏み換え
❷内側へ傾くときは、外側にストック
❸スキーが出ないときは、ターン内側へダブルストック
BRIKO
FABLICE
FABLICE
FABLICE
SALOMON

NGには原因がある

うまくズレに乗って滑れないと、十分にコントロールができないことになる。そのため、急な斜面や難しい雪質などに対応ができなくなる。

よくあるNGとしては、①切り換えでフトモモが寝ている。②体がターン内側へ傾いてしまう。③スキーをターン外側へ動かせない。といったことが挙げられる。

コントロール重視のロングターンの最後になるこのページでは、その対策方法を紹介していく。

POINT 1

フトモモが起きないときは、踏み換え

前のターン後半からポジションを真ん中に戻せないと、フトモモが起きない。そのような場合は、切り換えで１度、脚をパタパタと踏み換える。そうすることでフトモモが起き、ポジションをスキーの真ん中に戻せる。

POINT 2

内側へ傾くときは、外側にストック

上半身からターンに入ってしまうと、体がターン内側へ傾きやすい。その場合は、通常は次のターン内側へ突くストックを、ターンの外側に突く。そうすることで体がターン内側へ入る動きを防げる。

POINT 3

スキーが出ないときは、ターン内側へダブルストック

つま先全体やカカト側に体重が集まると、エッジが外れずにスキーを外側へ動かせない。このような場合は、両方のストックをターン内側へ突いてターンする。こうすることで、エッジを外すために動く方向がつかめる。

できないときはココ

自分の苦手なポイントがわからない場合は、すべての練習方法を試してみる。

チェックしよう!

- □動きをマネるのではなく、感覚をつかむことが大切
- □よい感覚がつかめてたら、普段の滑りでも同じ感覚を得られるように滑る

エッジを使って滑る①

バランス重視
回転性重視

体とスキーの向きを合わせエッジを使って滑る

切り換え時の体の向きは、スキーよりもターン内側になる
スキー全体を離すことで、全身でスキーを押し込める
その結果ブレーキ要素が減り、よりシャープで深いターンになる

回転性重視は、ブレーキ要素を抑えた滑り

回転性を重視した滑り方は、スキーを全身で押し込み、スキーをたわませることによってターンをする。そのため結果的に、ブレーキの大きな要素であったズレが少なくなる。

この滑りでポイントとなるのが、全身でスキーを押し込みやすくするための体の向きと、スキー全体を外側に動かすことだ。

体の向きは、極力スキーが進みたい方向と同じにする。またスキー全体を外側へ動かすことで、効率よく最大限のたわみを作れる。

POINT

❶体は進行方向へ向ける
❷スキー全体を外側へ動かして滑る

POINT 1

体は進行方向へ向ける

外側の指で進みたい方を指す。内側の手は腰に置く

スキーよりも気持ち指が先行するように、行きたい方を指し続ける

指を動かし続けると、体の向きは進行方向を向きやすくなる

進行方向を向く目安は、おへその向きが内スキーのトップ寄りになること。切り換える時ほど、よりターン内側を向き、フォールラインを過ぎる辺りでは、スキーとほぼ同じ向きになる。内側に傾きすぎないことだけ注意。

POINT 2

スキー全体を外側へ動かして滑る

両ストックを広げて滑る。切り換えで内ストックを下げてエッジを外す
親指からカカトのライン全体を使い、スキーを体から離す
フォールライン辺りで、スキーが最も体から離れる

スキー全体を体から離すには、切り換えで確実にエッジが外れていることと、足裏全体でスキーを押すことが大切。この練習では重心を移動させることでエッジを外し、そのままスキーを外側へ動かす感覚がつかめる。

できないときはココ

ズレが少ない感覚がつかめないときは、斜滑降から山回りをしてみよう。

チェックしよう!

- □体の向きが、進行方向を向けているか
- □切り換えでエッジを外せるか
- □ズレの少ないターンができているか
- □スキーをたわませられているか

コツ17 エッジを使って滑る②

バランス重視
回転性重視

重心を谷側に移動してエッジを変える

POINT
1. おへその位置を谷側へ移動する
2. スキーを外側へ動かしながら重心移動
3. 上半身だけ傾くのはNG

確実にエッジを外すことからターンが始まる

スキーがしっかりとたわむほど、エッジは雪面にしっかりと食い込む。そのため、エッジを切り換える動きが難しくなる。

エッジを確実に切り換えるときに大切になるのが、重心の移動。重心が谷側へ移動することで、食い込んでいたエッジを無理なく外し、切り換えることができる。

ここでも目安になるのが、おへそだ。おへそを谷スキー側へ動かせると、重心が移動してエッジが切り換わる。

まずは楽にエッジを変えられる感覚をつかもう。

POINT 1

おへその位置を谷側へ移動する

おへそを谷スキーの真上に移動し、谷スキーをフラットにする。エッジが外れるとスキーがフラットになるため、容易に次のターンに入れる。このときに雪面を押す力を完全に抜かないこと。雪面を押しながら動こう。

POINT 2

スキーを外側へ動かしながら重心移動

脚が先か、重心が先かということではなく、脚と重心が同時に動かせると理想的だ。雪面を押しながらおへそを動かすと、一瞬でフラットの状態を過ぎてエッジが切り換わる。そうすると、ロスなく次のターンに入れる。

POINT 3

上半身だけ傾くのはNG

頭や肩から重心を移動すると、足元に動きが伝わるのが遅れる。その結果エッジが外れるまでに時間がかかったり、上手く外れない。両肩を結んだラインが極端に斜めになっている場合は、この傾向が強い証拠だ。

NG
×

できないときは ココ

上半身から動いていないかを確認。ターン前半が作れない場合は、足元が疎かになっている。

チェックしよう!

- □おへそを谷スキー側へ移動できるか
- □雪面をしっかりと押しながら重心移動ができている
- □両肩のラインが斜めになりすぎていないか

コツ 18

エッジを使って滑る③

バランス重視
回転性重視

全身を使って スキーに加圧する

BRIKO
SALOMON
SALOMON

POINT

❶切り換えで上に抜けない
❷足裏全体で雪面を押していく

常に雪へ働きかけていく

バランス重視の滑りでは、切り換えでフトモモを立てて力を抜く動きを使う。ところが回転性重視のターンでは、スキーが左右に大きく動く。そのため力を抜く動きを使うと、一気に体が遅れてしまう。

そこでポイントになるのが、力の加え方と力の緩め方だ。

力を加えるときは全身を使い、緩めるときは、徐々にスキーに寄る。ここでは全身で力を加えるポイントを、寄る動きは50ページのコツ19で紹介する。

POINT 1

切り換えで上に抜けない

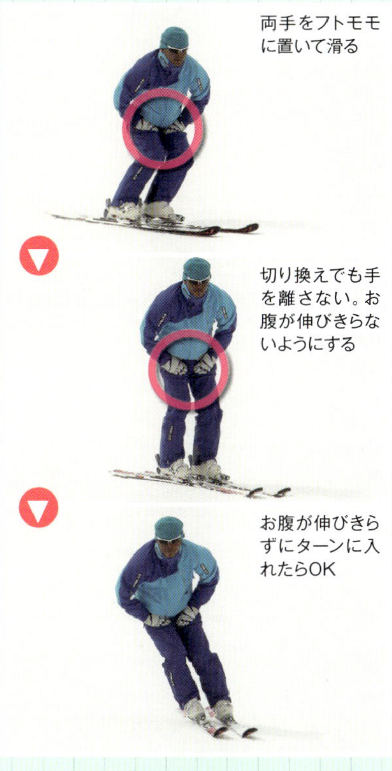
両手をフトモモに置いて滑る
切り換えでも手を離さない。お腹が伸びきらないようにする
お腹が伸びきらずにターンに入れたらOK

上に力を抜かずに切り換える練習。フトモモに当てて腕に力が入ると上に抜けてしまう。気持ち腕の力を緩めるようにすると、お腹が伸びきらずにターンができる。トップ側に乗ろうとしすぎると上に抜けるので注意。

POINT 2

足裏全体で雪面を押していく

両脇に人やイスなどを置いて構える
おへそを右へ向けながら、足裏全体で床を押す
上半身を曲げてバランスを取る。極端に寄りかかない

足裏全体で床を押すと、当然体は傾く。その際にバランスを取るために、両脇の人に肩を借りる。人が動くくらい押してしまうと、内側に傾きすぎだ。床を押しながら、上半身を曲げて（前傾を深めて）バランスを取る。

できないときはココ

１人で感覚をつかみたい場合は、壁に手を当ててPOINT２の動きをするものよい。

チェックしよう!

□切り換えでお腹が伸びきっていないか、フトモモが立ちすぎていないか
□床を押したときに、支える人にもたれかかっていないか

コツ 19

エッジを使って滑る④

バランス重視
回転性重視

ターン後半は、雪面から押される力に負ける

全身でスキーに加圧してターンをする
ターンの終わりは、力を緩めるため、脚が曲がってくる
ターン後半に一度力を緩めるため、次のターンでも力を加えられる

いったん緩めないと、再び力を加えられない

全身を使ってスキーに力を加えると、スキーは大きくたわんで曲がる。ターン前半に体から離れたスキーが曲がってくると、ターンの後半は当然体の近くに戻ってくる。このときに力を加えたままでいると、体はターン内側に倒れてしまう。このときに使う動きが、押される力に負ける動きだ。

そのためにはまず、雪面から押される感覚をつかむ必要がある。それがあって初めて、力を緩める動きにつながる。

こうしてターン毎に緊張と弛緩ができると、スムーズにターンが連続する。

POINT

❶雪面から押される力を感じる
❷伸ばした脚を緩めていく

POINT 1

雪面から押される力を感じる

プルークで滑り、前半は脚を伸ばして力を加える
ターン後半になると、雪面から押される感覚がでてくる
押されたら逆らわずに伸ばした脚の力を緩める

感覚をつかむには、スピードが気にならない斜面や動きが最適。プルークでターン前半に外脚を伸ばしていくと、後半に押し返される感覚がつかめる。押されたら外脚のつけ根に上半身を乗せて力を緩めていく。

POINT 2

伸ばした脚を緩めていく

フォールラインを過ぎたら、内脚のズボンを両手で持ち上げる
すると、スキーと離れていた体がスキーの方へ寄ってくる
その結果外脚の力が緩まり、適度に脚を曲げた状態になる

伸ばした脚の力を緩めるには、体をスキーへ近づけていく。これはコツ17で紹介した、重心を谷側に移動する動きのはじまりになる。その感覚をつかむために、強制的に体をスキーへ近づける練習がこれだ。

できないときはココ

脚のつけ根が伸びきると、脚が曲がらない。つけ根を伸ばしきらないように注意。

チェックしよう!

- □雪面から押される感じをつかめたか
- □スムーズにスキーへ寄っていけるか
- □スキーのたわみが解放された感覚や、スキーが走る感覚が得られたか

エッジを使って滑る⑤

バランス重視
回転性重視

回転性重視ロングのよくあるNGと対策

POINT
❶外脚に加圧できないときは、肩を平行に
❷上に抜けるときは股関節の曲げを強める
❸外脚が離れないときは内脚をたたむ

NGには原因がある

回転性を活かす滑りでは、ターンが深くなり、スピードに乗ったまま滑り続けることになる。そのため、余計な動きや急激な動きをすると、一気にバランスを崩してしまう。

よくあるNGとしては、①全身が内側に傾き、スキーに加圧できない。②切り換えやターン後半で上に抜けて体が遅れ、エッジが外れてしまう。③内脚がじゃまをして、スキーが体から離れない。といったことが挙げられる。ここでは、これらの対策方法を紹介する。

POINT 1

外脚に加圧できないときは、肩を平行に

両ストックを両スキーの間に置き、常に引きずって滑る。重心を両スキーの間に置いて滑れるため肩のラインが斜面と水平になりやすく、必要以上に体が内側に傾くことを防げる。内側に傾きすぎる人にはおすすめの練習。

POINT 2

上に抜けるときは股関節の曲げを強める

ストックを１本だけ使う。ストックを横にして、ヒザの後ろに当てる。ヒザの間からストックを握って滑る。窮屈な姿勢だが、この姿勢のまま切り換えると、上に抜けずに動く感覚がつかめる。

POINT 3

外脚が離れないときは内脚をたたむ

両手を脚のつけ根に当てて滑る。ターン前半から中盤にかけて、徐々に内側の手を挟むように、内脚をたたんで（曲げて）いく。上手く内脚がたためると、より外スキーが体から離れて、深くシャープなターンができる。

できないときは **ココ**

自分の苦手なポイントがわからない場合は、すべての練習方法を試してみる。

チェックしよう！

- □動きをマネるのではなく、感覚をつかむことが大切
- □よい感覚がつかめてたら、普段の滑りでも同じ感覚を得られるように滑る

一般スキーヤーに聞く
いまどきのスキー事情 02

スキースクール

我々の加盟しているＳＩＡ（公益社団法人 日本プロスキー教師教会）には、約130校のスキースクールが存在する。スクールに入校する方を見ていると、はじめてスキーをする方だけでなく、インストラクターと変わらないほどの技術を持つ方もいる。

それではなぜスキースクールへ入校するのか、スキースクールへ入ることでどんなメリットを感じているのかを、一般スキーヤーの皆さまに尋ねてみた。

第1位 継続的な上達

主な声

「自分の滑りを知ってくれているから、性格まで見越した的確なアドバイスをもらえる」（30代女性）

「合宿制のスクールでは、技術が身につくまで何度も繰り返しレッスンをしてくれる」（50代男性）

第2位 強制的な挑戦

主な声

「フリースキーでは絶対に行かないコブや新雪に挑戦させてもらえた」（60代女性）

「知らなかった技術や、ストックを持たずに滑るなど、毎回新しい発見をもらえる」（50代女性）

第3位 仲間との出会いや再会

主な声

「同じレベルの人たちと同じクラスになるから、悩みも共通していて一緒に考えられた」（70代男性）

「スクールで知り合った人と付き合い、いまでは奥さんになった」（40代男性）

Part 3

自在な
ショートターンを
身につける

ズレを使って滑る①

バランス重視
回転性重視

テールを体の外側へ動かしてターンをする

ターン前半は、体とテールをターン外側へ動かしていく

テールで雪面を削れると、コントロールしながらターンができる

ターン後半は楽な姿勢に戻り、次のターンに備える

テールを振らず、体ごと左右へ動く

テールを動かすというと、テールを左右へ振るようなイメージを持ちやすい。ところがこれでは雪面に力を加えられず、スピードコントロールが甘くなり、徐々にスピードオーバーになってしまう。

テールを動かす目的は、斜面を削りながらターンをすること。そのためには、テール側にも重さを乗せながら、体から離していく動きが必要になる。そのためには、その場でテールを振るのではなく、体を左右に動かしながらテールを動かす。こうすることで、スピードコントロールもできる。

POINT

❶ターン外側へ動く感覚をつかむ
❷トップ側に重さを乗せてテールを動かす

POINT 1

ターン外側へ動く感覚をつかむ

切り換えでターン外側へ向かって2、3歩足踏みをする
徐々にターン外側へ動いていく感覚をつかむ
上手く動けると、結果的にテールが大きく動いたターンになる

テールで雪面を削るには、体ごと外側へ動かす必要がある。この練習では、ターン外側へ歩くことで、体を動かしていく方向がつかめる。なおトップがすぐに下を向く場合は、外側ではなく下にしまって動いている。

POINT 2

トップ側に重さを乗せてテールを動かす

トップの外側へ両ストックを突く
ストックを突いた方へ、体を動かす
結果的に体とテールがターン外側へ動く

この練習では、両ストックをターン外側へ突くことで、体とテールをターン外側へ動かしやすいポジションがつかめる。よいポジションがつかめると、体やテールをより楽に、ターン外側へ動かせるようになる。

できないときはココ

テールを動かす意識が強すぎると、体はその場で固まってしまう。体ごと動かす。

チェックしよう!

- □体もターン外側へ動かせるか
- □体やテールを動かしやすいポジションに乗れているか
- □テールでしっかりと雪面を削れるか

コツ 22

ズレを使って滑る②

バランス重視
回転性重視

ターン前半に重要な雪を削る感触を覚える

POINT

❶斜めに滑り、雪面を削る感覚をつかむ
❷横方向に雪面を削る感覚をつかむ

雪をかき分ける感触を覚える

雪面を削る動きはとても重要だが、感じにくい要素でもある。ズレながらスキーが進む際の感覚なため、削る感覚よりも、バランスを維持することに意識がいきがちになる場合が多い。

ここでは、ズレ＝雪面を削るという感覚をつかむ練習方法を紹介する。まずは、どういう動きが雪面を削る動きなのかを覚えよう。

また、足裏の力を入れる部分や、体の向きにも意識を向けられると、実際のターンにも取り入れやすい。

POINT 1

斜めに滑り、雪面を削る感覚をつかむ

斜めに滑る。はじめは止まった状態で試してもよい
谷側のスキーに重さを加えると、スキーがズレながら下へ動く
このズレながら下へ動く感じが、雪面を削る動きになる

雪面を削る動きは、スキーのセンターからテール側を使う。テールを使いやすく（動かしやすく）するには、つま先側に多めに体重を乗せる。完全につま先に乗ると、テールが軽くなり、雪面を削れなくなるので注意。

POINT 2

横方向に雪面を削る感覚をつかむ

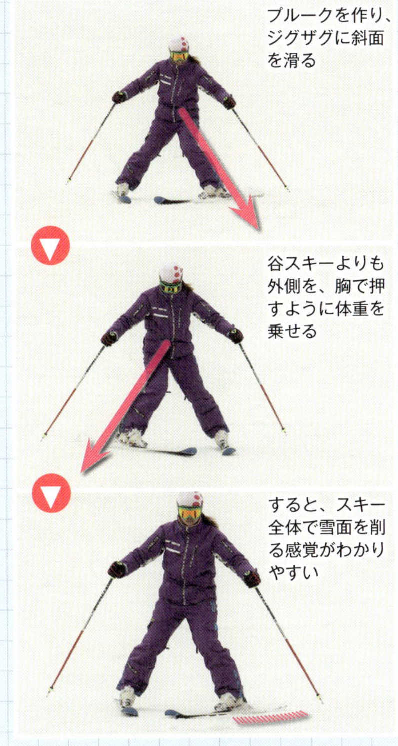
プルークを作り、ジグザグに斜面を滑る
谷スキーよりも外側を、胸で押すように体重を乗せる
すると、スキー全体で雪面を削る感覚がわかりやすい

雪面を削る場合は、自分の体重をメインに使う。ターン外側を胸で押すようにすると、外スキーの内エッジ側に体重が乗り、楽に雪面を削れる。押す方向が体の真下だと、スキーがズレずに雪面を削れない。

できないときはココ

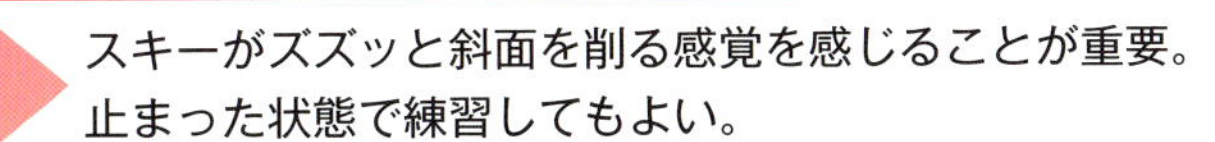

スキーがズズッと斜面を削る感覚を感じることが重要。止まった状態で練習してもよい。

チェックしよう！

- □雪面を削る感覚を感じられたか
- □削る際のポジションや力の入れ方をつかめたか
- □ブレーキがかかる感じを得られたか

ズレを使って滑る③

バランス重視
回転性重視

後半は落下を止めず 外スキーを動かす

POINT

1. 外スキーを動かし続ける
2. 急激なエッジングで落下を止めない
3. 力まないポジションで滑る

スキーを動かし、落下を止めない

ターンの後半は、スピードをコントロールすることと、次のターンの準備という２つの役割がある。そのために大事なのは、落下を止めずに、スキーを動かし続けることだ。

落下を止めないためには、急激なエッジングをしないこと。ターン前半のスピードコントロールが不十分だと、後半で一気にブレーキをかける必要があり、急激なエッジングになる。そうならない前半の動きを心がける。またスキーを動かし続けるとは、テールを動かし続けることになる。

POINT 1

外スキーを動かし続ける

外スキーの動きが止まると、エッジが食い込みすぎたり、体が遅れやすくなる。外スキーを動かすイメージは、ターンの終わりにトップが山側を向くような感じだ。このようなイメージを持とう。

POINT 2

急激なエッジングで落下を止めない

落下が止まるようなエッジングは、雪煙が斜面の真下に飛ぶ。外スキーを動かし続けられると、写真のようにスキーの軌道に沿って雪煙が飛ぶ。体重を一気に乗せずに、じんわりと乗せていくと、動き続けやすい。

POINT 3

力まないポジションで滑る

ターン後半に力む場合は足の指が、じゃんけんのグーのようになることが多い。指は適度に開き、拇趾球（親指のつけ根）がしっかりと雪面に着く姿勢で滑ろう。すると力みにくくなり、スキーも動かし続けやすい。

できないときは
ココ

直滑降から急停止など、急激なエッジングを体感すると、止めないエッジングの感覚がわかる。

チェックしよう!

□スキーを動かし続けるイメージを持てた
□雪煙は真下ではなくスキーの軌道に沿って飛んだか
□足の指がグーではなくパーになっている

ズレを使って滑る④

バランス重視
回転性重視

次のフォールライン方向へ向かって切り換える

POINT
❶体を真下へ向けない
❷視線を先行させ進む方向を決める

真下を向くと、テールが動かせない

ショートターンというと、体を真下に向けて滑るというイメージを持っている方が多い。

ところがスキーをターン外側へ動かす場合、体が真下を向いていると、内側にバランスを崩しやすく、外へ動かせる量も少なくなる。するとコントロールも甘くなり、暴走しやすくなってしまう。そうならないためには、腰の向きを適度に左右に動かすこと。コツ21、22でも紹介したように、適度にスキーと同じ方向に動くことが必要になる。

POINT 1

体を真下へ向けない

ターン後半に両ストックを動かし始める
ストックを体の前、かつ、おへその正面辺りで叩く
すると、体が自然に次のターンのフォールライン方向へ向く

体（腰やおへそ）を向ける方向の目安は、次のターンのフォールライン辺りになる。この方向へおへそを向けられると、スキーを体から離しやすく、十分にコントロールしたターンがしやすい。

POINT 2

視線を先行させ進む方向を決める

ターン後半には、次に行きたい方へ視線を向け始める
視線がよい方向を向くと、腰やおへそも同じ方向を向く
すると、スキーを大きく動かしてターンに入れる

視線が先行できない理由の多くは、ターン後半に下を見てしまうこと。下を向くと、自然に体も斜面の真下を見やすくなる。はじめはかなりの意識が必要だが、意識して次に進む方向を見ることで、ターンがしやすくなる。

できないときはココ

胸を中心に次の方向を向くと、ターン後半にスキーが回りすぎ、切り換えにくくなってしまう。

チェックしよう!

- □おへそや腰を次に進む方向へ向けられているか
- □視線は行きたい方へ先行できているか
- □ターンに入りやすい感覚があるか

ズレを使って滑る⑤

バランス重視
回転性重視

ストックは、エッジの切り換わりと同時に突く

ターン後半には構え終える。石突きは、次に進みたい方を指す
エッジが換わると同時に突く。斜面と垂直に置くのが理想
突いた手は楽に下げ、徐々に反対側のストックを動かす

ストックは、バランス取りよりもリズム取り

ストックがいちばん弊害になりやすいのが、バランス重視のショートターンになる。

ストックの理想的な動きは、①ターン後半に構え始め、石突きを視線と同じ方へ向ける。②エッジが切り換わると同時に、斜面に対して垂直に突く、になる。

また、突き方以上に重要なのが、一定のリズムで動かすこと。ストックを構えて突く動きが一定のリズムであれば、均等なターン弧で滑りやすくなる。ストックが、滑りをじゃましないように注意したい。

POINT

1. 斜面に対して垂直に突く
2. タイミングが早いと落下を止めてしまう
3. 横に突きすぎると体が真下を向く

POINT 1

斜面に対して垂直に突く

ストックを斜面に対して垂直に突けると、脚や上半身の動きをじゃましない。実際には力を入れて突き刺すような「突く」ではなく、斜面に立てるような「置く」感じで使えると理想的だ。

POINT 2

タイミングが早いと落下を止めてしまう

ストックを突くタイミングが早いと、次のターン方向へ落下しようとする体を止めてしまう。すると楽にテールを動かせなくなるため、強引にスキーの向きを変えるような動きになってしまう。

NG

POINT 3

横に突きすぎると体が真下を向く

体の横に突くと、ストックの方へ腰が回る。そのため、体の向きが斜面の真下方向になってしまい、上手くテールを動かせなくなる。「小さく前ならえ」をして、ワキをこぶし1個分ほど広げた位置に突けると理想的だ。

NG

できないときは
ココ

プルークなど、余裕がある滑り方でリズミカルなストックワークを練習する。

チェックしよう!

□一定のリズムでストックを動かし続けられたか
□突く位置が落下をじゃましていないか
□真横や前すぎる位置に突いていないか

エッジを使って滑る①

バランス重視
回転性重視

バランス重視と回転性重視の弧の違いを知る

回転性重視

バランス重視

POINT

❶カービングの中ターンが回転性重視
❷コブの縦ラインがバランス重視
❸コブのバンクラインが回転性重視

バランス重視と回転性重視では、回転弧が変わる

ロングターンでは、バランス重視でも回転性重視でも、同じようなターン弧で滑れる。ところがショートターンになると、回転弧がまったく変わってくる。本来は回転弧よりも動きの違いが大切になるが、まずは両者の違いをイメージしやすくするために、回転弧を使って説明する。バランス重視では、スキーが横へ動く量よりも落下量の方が多いため、縦長の弧になる。

一方、回転性重視では、横の量と落下量が同等になりやすいため、半円のようなターン弧になる。

POINT 1

カービングの中ターンが回転性重視

回転性重視ではスキーが体から大きく離れるため、その分ゆっくりとターンに入る。すると自然にターン弧も大きくなってくる。ショートターン用のスキーを使ってカービングをするような、中ターンのイメージだ。

POINT 2

コブの縦ラインがバランス重視

整地よりも、コブのラインで比較するとイメージがつかみやすい。モーグルのようにコブのミゾを縦方向に滑るターン弧が、バランス重視のターン弧になる。実際に滑れなくてもよいので、そのようなイメージを持とう。

POINT 3

コブのバンクラインが回転性重視

ミゾの遠くを通るライン取りがバンクターンになる。すると当然、ターンも左右に大きく動くことになる。このイメージが、これから練習していく回転性重視のショートターンになる。

できないときは ココ

まずは知識として、バランス重視と回転性重視のターン弧の違いを知る。

チェックしよう!

- □バランス重視のショートターンの、回転弧がイメージできたか
- □回転性重視のショートターンの、回転弧がイメージできたか

エッジを使って滑る②

バランス重視
回転性重視

重心を落としながらスキー全体を離す

次のターンの中盤辺りに、視線とおへそを向ける

視線とおへそを向けた方へ落下しながら、スキー全体を体から離す

落下方向とスキーの離し度合が上手くいくと深くシャープなターンになる

重心を落とすと、2つのメリットが生まれる

積極的に重心を谷側へ落としていくことで、2つのメリットが生まれる。1つはその場で立っているよりも重心を落とした方が、より体の遠くへスキーを出せること。もう1つは、スキーを出しながら、同時に自分の重さをスキーへ乗せられることだ。

とはいえ、斜面の真下方向へ重心を落とすと、すぐにトップが下を向いてしまい、十分に体から離せなくなる。回転性重視のロングターンと同様、次のターンの中盤辺りに落としていく。

POINT

❶重心を谷側に落としていく
❷スキー全体を体から離す

POINT 1

重心を谷側に落としていく

斜滑降で滑りはじめる
おへそから動き、谷スキーを１歩下へ踏み下げる。体の軸をまっすぐに保つ
山スキーをそろえて斜滑降に戻る

積極的に谷側へ動こうとすると、恐怖心が出やすい。そのため、おへそだけが山側に残り、腰が引けたような動きになりやすい。このように斜滑降から練習することで、恐怖心を感じずに落下する感覚がつかめる。

POINT 2

スキー全体を体から離す

スキー全体が浮くように、足踏みをしながらスキーを切り換える
スキーを真下ではなく、ターン外側へ向かって下ろす
するとスキー全体が体から大きく離れる

バランス重視と大きく変わるのが、足裏の体重を乗せる位置。回転性重視では、足裏全体に重さを乗せ続ける。スキー全体を浮かせる足踏みをすることで、体重を乗せる位置と外への動かし方がつかめる。

できないときはココ

重心を落とすときは、おへそから動かす意識を持つとやりやすい。

チェックしよう!

□重心が落ちる感じがつかめたか
□スキー全体が体から離れる感じがつかめたか
□スキーへ自分の重さを乗せられたか

コツ 28

エッジを使って滑る③

バランス重視
回転性重視

後半は両スキーをターン方向へ動かす

POINT
❶外スキーを親指方向へ動かす
❷内スキーを小指方向へ動かす
小指方向
親指方向

スキーを動かして、シャープに仕上げる

スキーが体から離れきったターン中盤からは、積極的にスキーをターン方向へ動かしていく。そうすることでスキーが進む動きを止めずに、ターンを仕上げることができる。回転性重視の滑りでは、積極的に両方のスキーを使っていく。そのため、スキーを動かす場合も外側だけでなく、内側も同時に動かす。

よくあるNGは、一気にスキーを動かすこと。一気に動かすと急激に向きが変わるため、せっかく雪面に食い込んだエッジが外れてしまうので、徐々に動かしていく。

POINT 1

外スキーを親指方向へ動かす

外スキー全体を
持ち上げる

外脚の親指方向
へスキーを動か
していく

このように止まった状態で動きをリハーサルすると、感覚がつかめやすい。スキーを動かす際に、体重を乗せる位置を変えないこと。足裏全体に体重を乗せたまま、ポジションが変わらないように、ゆっくりと動かす。

POINT 2

内スキーを小指方向へ動かす

内スキー全体を
持ち上げる
内脚の小指方向
へスキーを動か
していく

内脚の動きは、実際にはとても小さくなる。そのため、感覚をつかむのが難しい。写真では大げさに動いているが、実際にはもっと小さい動きになる。このときに、ヒザが返らないように注意。ヒザが返るとエッジが外れる。

できないときは
ココ

持ち上げて感覚がつかめたら、スキーを
雪面に着けたままやってみる。

チェックしよう!

□外スキーを親指方向へ、乗る位置を変えずに動かせるか
□内スキーを小指方向へ、乗る位置を変えずに動かせるか

コツ 29 Part 3 自在なショートターンを身につける

エッジを使って滑る④

バランス重視
回転性重視

腰の高さを変えずに切り換える

POINT
❶足首、ヒザ、股関節を深く曲げた姿勢
❷モモを立てずに切り換える

上下よりも、左右の動きが中心

腰の位置が高い状態と低い状態では、低い方がより体の遠くへスキーを動かせる。そこで大切になるのが、切り換え時の姿勢だ。特にバランス重視の滑りに慣れていると、モモを起こして切り換えるクセがついている。そうではなく、左右へ体を動かすようにして、切り換えていこう。

ただし腰だけを曲げてしまうと、バランスが悪くなり、自分の重さをスキーに乗せられなくなる。

足首やヒザも曲げて、バランスが取れる低い姿勢を身につけよう。

POINT 1
足首、ヒザ、股関節を深く曲げた姿勢

バランス重視で滑る場合の基本姿勢
回転性重視の姿勢では、より足首とヒザ、股関節が曲がる
NG
このように腰だけが深く曲がるのはNG。上手くバランスを保てない

姿勢が低くなると、筋力で体を支える配分が増える。滑走中は脚を伸ばしたり、谷側へ落下するため、そこまで筋力に頼った感じはしない。しかし静止した状態では多少、筋力の負担を感じられる。まずはこの姿勢を作る。

POINT 2
モモを立てずに切り換える

ストックを１本持ち、股関節に当てて滑る
切り換えではストックを押しつけ、モモを立てない
深い姿勢で切り換えられると、よりスキーが体から離せる

切り換えで重心を積極的に落とせると、モモを立てる必要がなくなる。その感覚を覚えるために、１本のストックを押しつけながら滑る。切り換えでストックを押しつけることで、重心が前に出やすくなる。

できないときはココ
両手を頭の上に乗せ、下に向かって押しつけながら滑ると、低い姿勢を保ちやすい。

チェックしよう!
□止まった状態で、モモに負担がかかる姿勢を作れるか
□モモを起こさずに、一定の腰の高さのまま切り換えられるか

エッジを使って滑る⑤

バランス重視
回転性重視

ストックは、体の真横に置いたまま切り換える

手首を返さず、コブシを前に出していく
ストックを突かず、重心移動を中心に切り換える
常に腕を広げ、幅が極端に開いたり閉じたりしないように滑る

ストックを突くと、左右への動きがやりにくい

横の移動が中心になる回転性重視の滑りでは、ストックは使わないという感覚で十分。腕を広く構え、コブシを前に出すことで、左右へのバランスがよくなる。またストックを突くと、体の移動が止まりやすいため、回転性重視では弊害にしかならない。

立った状態でストックを構える（手首を返す）だけで、ポジションはカカト側になる。スピードに乗って滑る場合には、致命的なミスにつながりやすい。上手く滑れない場合は、ストックに気をつけるのもよい方法だ。

POINT

❶外側のコブシは前に出す
❷外側の手首を返さない
❸横石突きは体の真横

POINT 1

外側のコブシは前に出す

コブシの位置を前に出すことで、コツ29の脚の動きをフォローできる。また体が次のターン方向へ進みやすくなるため、重心が落としやすい。大きく出す必要はないが、意識したいポイント。

POINT 2

外側の手首を返さない

手首を返すことで体重がカカト寄りになり、姿勢が高くなりやすい。また手首を返すと、その後必ずストックを突き、体が置いていかれやすくなる。どうしても突きたい場合には手首を返さず、体の真横に突く。

POINT 3

石突きは体の真横

ストックを構える場合、石突きの位置は体の真横辺りが理想的だ。この位置なら石突きが雪に刺さって、体が持っていかれる危険も少ない。また何よりも、横方向に動きやすくなる。

できないときはココ

手首が返ったり、モモが立つと、突いてしまう。
この点を注意して滑る。

チェックしよう!

- □手首を返さずにストックを使っているか
- □石突きが刺さって弊害になっていないか
- □ストックに頼らずに、スムーズにスキーを切り換えられたか

COLUMN

一般スキーヤーに聞く
いまどきのスキー事情 03

スキーでのお悩みポイント

「どうしても上手くいかない」、「なんとなくわかった気がするけど、いつもできるわけじゃない」、といったスキーの悩み。感じ方や表現は人によって違っても、実は似たようなポイントで悩んでいたりもする。

ここでは、一般スキーヤーたちが悩んだポイントと、どうやって解決していったのかを紹介する。

第1位 不整地で最後まで滑れない

主な声

「とにかくリズムをつくる練習をさせられた。それも声を出すことで。恥ずかしかったけれど不思議な感じで、気づいたら斜面を滑り降りていた」(40代女性)

「ダルマさんが転んだ、というゲームをコブでさせられた。いつでも止まる意識が持てると、確かにコブ斜面で暴走しなかった」(50代男性)

第2位 ターンのリズムがバラバラになる

主な声

「深呼吸をして滑るようにアドバイスを受けた。呼吸の深さを変えると、いろいろなターンでリズムが保てるようになった」(20代男性)

「斜め方向やいきなり方向転換など、真下に向かって滑らせてもらえなかった。けれどもその後真下に滑ったら、とても楽にターンができた」(50代女性)

第3位 何度受けても検定に受からない

主な声

「審査員の視点で、他の受験者の滑りを見させてもらった。その後、ライン取りやアピールできるポイントを考えて滑ったら合格できた」(40代男性)

「毎週のように受験していたが、1年は練習に費やせと言われた。その結果きっちりと弱点を修正してから検定にのぞめた」(20代女性)

Part 4

コブを攻略

コツ 31 Part 4 コブを攻略

コブのライン取り

バランス重視
回転性重視

コブのライン取りを覚える

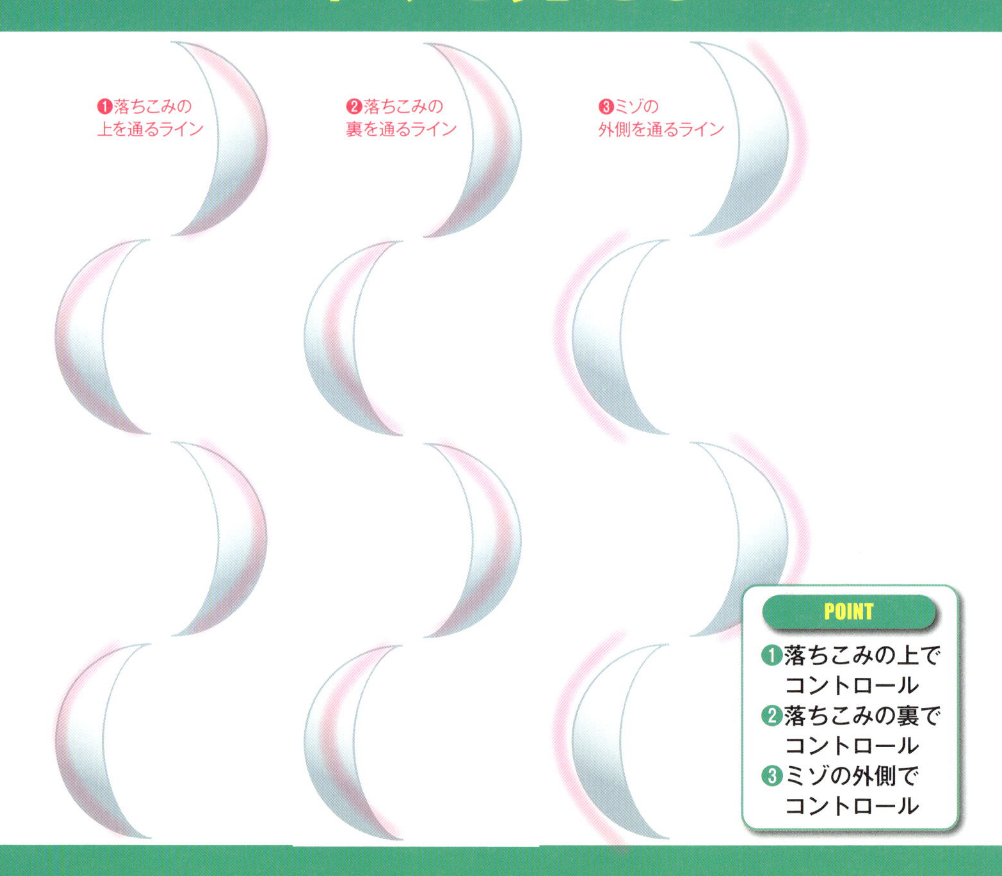

❶落ちこみの上を通るライン
❷落ちこみの裏を通るライン
❸ミゾの外側を通るライン

POINT

❶落ちこみの上でコントロール
❷落ちこみの裏でコントロール
❸ミゾの外側でコントロール

コントロールできる場所を見つける

　コブに苦手意識のある人の多くは、スピードのコントロールが上手くできない。これはスキーの向きを変えることに意識がいってしまい、スピードを抑えることが疎かになってしまうからだ。

　コブには、ラインと呼ばれる通り道がある。通り道と書くと、「どこでスキーの向きを変えるか」と思われるが、実際は「どこでスピードをコントロールするか」という意味になる。ラインはコブの形状と滑りたいスピードで選ぶ。まずは3通りのラインを理解しよう。

POINT 1

落ちこみの上でコントロール

落ちこむ手前の部分で、テールを大きく外側へ動かす。そうすることで、大きなブレーキをかけられる。コブに慣れていない人や恐怖心がある人、ゆっくりと滑り降りたい人に向いているラインになる。

POINT 2

落ちこみの裏でコントロール

落ちこみを過ぎた、コブの裏の部分を削ってコントロールするライン。テールを外に動かすよりも、下方向へ動かす要素が多くなる。スピードに乗って滑れるが、ベンディング（脚の曲げ伸ばし）操作が必要になる。

POINT 3

ミゾの外側でコントロール

コブの遠くを通ることで、ターン前半から後半まで常に適度なブレーキをかけられる。回転性重視のターンをメインに使う人には、違和感なく通れるラインになる。中速程度のスピードで滑れる。

できないときは ココ

まずは頭の中だけでよいので、ラインとスピードの関係を理解する。

チェックしよう!

□落ちこみの上を使うと、ゆっくり滑れる
□落ちこみの裏を使うと、スピードに乗れる
□ミゾの外側を通ると、適度なスピードで滑れる

コツ 32 Part 4 コブを攻略

落ちこみの上を通る①

バランス重視
回転性重視

落ちこむ手前でテールを外側に動かす

切り換えたらテール側を大きくターン外側へ動かす
脚を伸ばすことでよりスキーが体から離れ、ズレが増える
スキーを外側へ動かすと、ミゾの形に沿ってスキーが曲がってくる

コブでのブレーキの基本を覚える

コブには凹凸があるからといって、ブレーキをかける動きが変わるわけではない。基本は整地と同じように、テール側をターン外側へ動かしてブレーキをかけていく。

整地と同じようにテールを動かすには、テールがコブに当たらない場所で動かすことが重要だ。それが落ちこむ前の部分になる。この部分であれば無理にベンディング（曲げ伸ばし）を使う必要もなく、整地と同様に立ち上がってターンに入ることもできる。

POINT

❶トップの向きを変えずにテールを動かす
❷土踏まずからカカト側で雪を削る

POINT 1

トップの向きを変えずにテールを動かす

プルークボーゲンで、コブを一定のスピードで滑る
トップの向きを変えるのではなく、テール側をターン外側へ押していく
すると大きくズレながら、スキーが向きを変えてくる

中上級者でもこのように滑れない人が多い。それは、しっかりとテール側を使えていないから。トップの向きを変えようとせずに、ひたすら左右のテールを外側へ押すことを繰り返す。すると、ゆっくりと連続で滑れる。

POINT 2

土踏まずからカカト側で雪を削る

右脚の土踏まずからカカトのラインで、外スキーを外側に押す
切り換えでは両スキーの真上に体を戻す
左脚の土踏まずからカカトのラインに体重を移し、外スキーを外へ押す

コツ22のPOINT２と同じ動きになる。ただしコブには凹凸があるため、上手く体重が乗っていないと弾かれてしまう。体重を乗せるためには、力を入れて踏んばりやすい、土踏まずからカカトのラインを使って押す。

できないときは ココ

POINT１や２の練習を整地で行ない、大きなブレーキをかける感覚をつかむ。

チェックしよう!

- □テールを動かすだけでコブを滑れたか
- □一定のスピードで滑れたか
- □コブに弾かれなかったか
- □ブレーキがかかる感覚を得られたか

落ちこみの上を通る②

バランス重視
回転性重視

両方のスキーで雪を削ってコントロール

POINT

❶スキーの動きをシミュレーションする
❷テールジャンプで両スキーのエッジを変える

パラレルスタンスで、スピードコントロール

プルークで落ちこみの上を削れるようになったら、パラレルスタンスで同じようにスピードをコントロールしていく。

そのための重要なポイントは、エッジの切り換えになる。エッジを上手く切り換えられると、プルークと同じようにスキーをターン外側へ動かせる。このときにありがちなのが、スキーをひねってトップの向きを変えてしまうこと。これではスキーが外側へ動かないため、雪を削れなくなってしまう。両エッジを確実に切り換えることが大切になる。

POINT 1

スキーの動きをシミュレーションする

両エッジを同時に切り換える。多少の時間差があってもよい
部分を削ってブレーキ
テールをターン外側へ動かしブレーキをかけ続ける
ブレーキをかけ続けられると、一定のスピードでターンを終えられる

落ちこみの上部を削って滑る場合、スキーはこの写真のように動く。ポイントになるのは、両エッジの切り換え。エッジを切り換えないと、スキーをターン外側へ動かせない。まずは、この流れをイメージしよう。

POINT 2

テールジャンプで両スキーのエッジを変える

ストックをしっかりと突き、トップが少し出た位置で斜め前にジャンプする

斜め前に飛べると、エッジがフラットになり、トップから雪面に着く

するとエッジが切り換わるので、スキーを外に動かしてブレーキをかける

両エッジの切り換えに有効なのが、テールジャンプ。大きく飛ぶ必要はない。飛べばスキーはフラットになるので、エッジを切り換えやすい。このまま動く量を少なくしていくと、上下動を使った切り換えになっていく。

できないときはココ

どうしてもジャンプができない場合は、山脚、谷脚の順に踏み換えてエッジを切り換える。

チェックしよう!

□スキーの動きがイメージできたか
□両エッジを切り換えられたか
□切り換えた後、しっかりとブレーキをかけられたか

コツ 34

落ちこみの上を通る③

バランス重視
回転性重視

テールでターンを仕上げ トップが出たら切り換え

POINT
❶テール側でターンを終える
❷トップが出てから
切り換える

ターンの仕上げと、切り換えのタイミングを知る

カカト側に体重を寄せるほど、エッジで雪を削る量が増える（つま先が浮かない範囲で）。落ちこみの上を通る滑りでは、ターン中は常にブレーキをかけていく。そのため、最後までカカト側に乗ってターンを仕上げる。その後の切り換えは、トップがミゾから出てから動く。トップが出る前では、ミゾの中にスキーがスッポリとはまった状態のため、どの方向にも動かせない。トップが出るのは、スキーがはまった状態から抜け出した証拠。ここなら自由にスキーを動かせる。

POINT 1

テール側で ターンを終える

ミゾの中腹から斜めに滑り、山回りを始める
カカト側に体重を乗せ、テールで雪を削る
削り続けると、トップが上を向いて止まる。自然に止まるまで続ける

コブはすり鉢状になっているため、テール側ほど抵抗を受ける。そのためテール側をしっかりと抑えないと、トップが上を向いてしまう。山回りで、最後までテールで削る感覚をつかもう。

トップが出てから 切り換える

テール側でターンを仕上げると、トップがコブから出る
トップが出たらジャンプや上下動を使ってエッジを切り換える
ール側で雪を削ってブレーキをかけ続け、再びトップが出たら切り換える

ターンが上手く仕上がると、自然にトップが出る位置まで、スキーが回ってくる。トップが出ない場合は、ポジションが悪かったり、体が回っている。トップが出たらコツ33のジャンプや立ち上がって切り換える。

できないときは ココ

テール側を使う場合でも、つま先を浮かせず、足首を伸ばしきらない。

チェックしよう!

- □テール側で削ってターンを終えられたか
- □トップが出る位置を確認できたか
- □トップが出るまで待てたか
- □トップが出てから切り換えられたか

落ちこみの裏を通る①

バランス重視
回転性重視

脚を伸ばして雪を削る（ベンディング）

脚を伸ばして雪を削る。力を加える方向は変わるが、動かし方は落ちこみの上を通るときと同じ

伸ばした脚がコブに押し上げられ、結果とし脚が曲がる。この状態でエッジを切り換える

曲げた状態で切り換え、落ちこみを越えたら脚を伸ばして雪面を削る

コブの形状を活かすには、ベンディングが必須

十分にスピードをコントロールして滑る場合は、これまで紹介してきた「落ちこみの上を通る滑り方」で十分。しかし、ある程度スピードに乗って滑るには、脚を曲げてコブからの衝撃を吸収し、切り換え、脚を伸ばして雪を削るという動きが必要になる。この一連の動きを、ベンディングという。

ベンディングのポイントは、自分から屈んで脚を曲げるのではなく、コブに押し上げられる力で脚を曲げること。まずは、動きのイメージと押し上げられる感覚をつかもう。

POINT

❶曲げて、ためて、伸ばす動きを作る
❷コブに合わせて曲げて、ためて、伸ばす

POINT 1

曲げて、ためて、伸ばす動きを作る

ターン後半、脚を伸ばして雪を削る姿勢
雪に押されて脚が曲げられる。上半身は次のターン方向に向ける
上半身がスキーと同じ方を向くと、コブから押される力が伝わらず、脚が曲がらない

脚を伸ばした状態から、外脚のつけ根を曲げて低い姿勢を作り、エッジを切り換える。脚の向きと上半身の向きが同じにならないようにする。脚を曲げたとき、つけ根にきゅう屈な感覚があればOK。

POINT 2

コブに合わせて曲げて、ためて、伸ばす

自分で脚を曲げてよいので、曲げた状態からターンに入る
脚を伸ばして雪を削る。上半身を次に行きたい方へ向けたまま、コブに乗り上げる
コブに乗り上げたときに、押されて脚が曲がればOK。ポジションにも注意する

ベンディングで多いミスは、自分から脚を曲げること。スキーに対して、上半身が次のターン方向を向くと、押される感覚が得られる。ポジションは、つま先よりでなく、足裏全体かカカト寄りにする。

できないときはココ

スピードが上がるほど衝撃が強くなり、曲げられる量が増える。はじめは少しだけ曲がれば十分。

チェックしよう!

□コブから押される感じがあったか
□つけ根が曲げられる感覚を感じられたか
□つけ根にきゅう屈感を感じたか
□脚を伸ばして雪面を削れたか

落ちこみの裏を通る②

バランス重視
回転性重視

体の真下方向に脚を伸ばして削る

POINT
❶スキーの動きをシミュレーションする
❷シミュレーションに合わせて動かす

横への削りから、縦への削りに

コブの裏を削るためには、脚が曲がった姿勢でコブを乗り越え、コブの裏側にスキーが触れてから伸ばしていく。

このために必要になるのが、コツ35で覚えたベンディングの動きだ。立ち上がって切り換えると、裏側にスキーが触れた時点で脚が伸びきっているため、雪面を削れなくなる。

まずはスキーがどのラインを通るのかを知り、そこで必要になる動きのタイミングをつかんでいこう。

POINT 1

スキーの動きをシミュレーションする

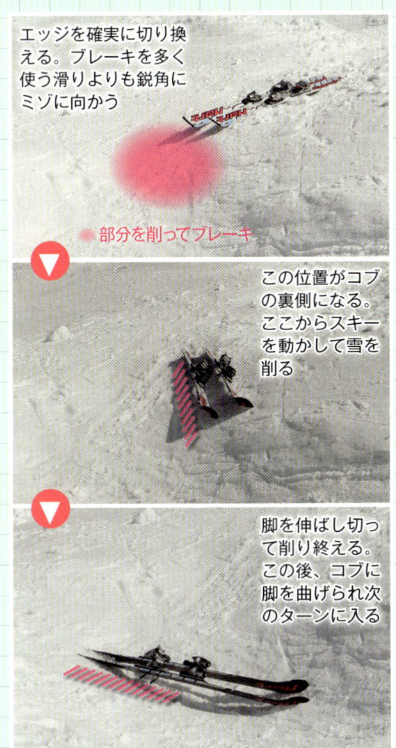
エッジを確実に切り換える。ブレーキを多く使う滑りよりも鋭角にミゾに向かう
部分を削ってブレーキ
この位置がコブの裏側になる。ここからスキーを動かして雪を削る
脚を伸ばし切って削り終える。この後、コブに脚を曲げられ次のターンに入る

コブの裏側を削るには、今までよりも鋭角にターンに入る。雪をしっかりと削るためには、テールが雪面に着いていることが重要。テールが雪面に触れるまでは脚を曲げておき、その後伸ばして削る。

POINT 2

シミュレーションに合わせて動かす

鋭角にターンに入る部分。コブに押された脚は曲がった状態
テールが雪面に着いてから伸ばす。すると雪を削れる
脚が伸びて雪を削り終える。この後、コブに脚が曲げられ、次のターンがはじまる

スキーが通るラインを理解したら、ラインに合った体の動きを練習する。重要なのは、コブの裏を削る姿勢が作れることと、実際に削る動きだ。はじめは2、3コブずつ区切って滑るとよい。

できないときはココ

深いコブでは、恐怖心から立ち上がって切り換えやすい。まずは浅いコブで練習する。

チェックしよう!

□裏側を削るラインが理解できたか
□ラインに合わせた体の動きがなんとなく理解できたか
□正しい動きで１ターンできたか

コツ 37 Part 4 コブを攻略

落ちこみの裏を通る③

バランス重視
回転性重視

脚が曲がった姿勢で落下する

コブに脚が曲げられた姿勢
脚が曲がったまま直滑降を入れる意識を持つ
直滑降の後で脚を伸ばすと、コブの裏が削れる

コブの裏へ到達時に、脚が曲がっているかがポイント

コブの裏を削る動きでは、脚が曲がった状態でコブの裏側にたどりつけるかが重要になる。また、この部分が最も難しくなる。

意識するとよいのは、トップが真下を向く部分。トップが真下を向いたときに、ヒザを曲げて直滑降（もしくは角度の急な斜滑降）をする意識を持ってみよう。もちろん深いコブでは難しいので、浅いコブを使う。

ターン毎に、このように直滑降を入れる意識を持つと、脚を曲げた状態でコブの裏側に入れるようになる。

POINT

❶両手を脚のつけ根に当ててターン
❷ドルフィンターンで滑らかに脚を曲げ伸ばす

両手を脚のつけ根に当ててターン

脚のつけ根に手を当て、トップを下に向けていく

トップが真下を過ぎたら脚を伸ばす

１ターンごとに確実にブレーキをかける

脚のつけ根に両手を当てと、上半身がスキーの真上くる。そのため、安定して直滑降の姿勢を作れる。また、両手がお腹と脚に挟まれる感覚が得られるので、曲がっているかを手の感触で確認できる。

POINT 2

ドルフィンターンで滑らかに脚を曲げ伸ばす

テール側を使ってコブから飛び出す

脚を抱え込んで、スキーを体の真下に置く

トップ側を下げながら脚を伸ばしていく

脚を曲げてコブを抜け、脚を伸ばしてコブの裏を通るという、スキーと脚の動きを洗練させる練習。連続では難しいので、２、３ターン毎に１回、このような動きを入れるてみよう。

できないときはココ

どうしても姿勢が高くなるときは、コブを越えながらクローチングを組んでみる。

チェックしよう!

- □脚を曲げてコブを越えられるか
- □スキーが真下を向いたときに、脚が曲がっているか
- □コブの裏側で脚を伸ばせたか

コツ 38

Part 4 コブを攻略

落ちこみの裏を通る④

バランス重視
回転性重視

ストックは、コブに対して垂直に突く

POINT
❶ゆっくりな場合は落ちこみに垂直
❷スピードが上がると落ちこみ手前
❸ストックを突いたら手首を前に出す

ストックは、滑りのじゃまをしない

コブで多いストックの使い方が、強く突くことでターンのきっかけにしたり、スピードを止めようとすること。きっかけやブレーキはスキーを中心に行うため、ストックを使ってもバランスを崩したり、手首を痛めるだけの結果に終わる。

そこで意識したいのは、ストックを突く位置。コブでは、落ちこむ部分がいちばん急になる。そのため、その急な場所に垂直にストックを突くと、最も動きをじゃましない。突くというよりも、雪に立てるという力加減でよい。

POINT 1

ゆっくりな場合は落ちこみに垂直

ストックのタイミングが早いほど、体が落下する動きを止めてしまう。そのため、ゆっくり滑るほど、ストックのタイミングを遅らせる。コブの落ちこみに垂直に突くくらいでちょうどよい。

POINT 2

スピードが上がると落ちこみ手前

スピードがある場合は、ゆっくりと滑るときよりも早めでよい。ただし、脚がコブに曲げられてから突くことが大切。脚が曲げられる前に突くとストックがつっかえ棒になり、脚が曲がらなくなる。

POINT 3

ストックを突いたら手首を前に出す

いつまでもストックを突いていると、ストックに体が引っ張られてしまう。脚の動きをじゃましないためにも、ストックを突いたらすぐに外す。手首を前に出すだけで、簡単に外れる。

できないときは
ココ

落ちこみの手前、落ちこみ、過ぎた位置と場所を変えて滑りやすさを比べてみる。

チェックしよう!

□ストックが体の動きをじゃましていないか
□脚が動かしやすくなったか
□コブの裏側へスムーズに落下し、脚を伸ばせたか

コツ 39

ミゾの外側を通る①

バランス重視
回転性重視

トップの向きを一気に変えない

整地と同様、視線や上半身の先行動作を取りすぎない
左右に大きく動くことで、ミゾの深い部分よりも外側を通る
外側を通る分、スキーが十分に回り込んでターンが終わる

回転性重視のショートターンの動き

ミゾの外側をバンクと呼ぶため、バンクターンとも言われる滑り方。凹凸の大きい場所を避けるラインのため、上下の動きが抑えられる反面、左右の動きが大きくなる。

また、脚の曲げ伸ばしは使っても使わなくても滑れる。曲げ伸ばしを使わない場合は、バランス重視と同様に、適度なブレーキをかけやすい。曲げ伸ばしを使った場合は、自ら雪を押して加速するような動きになる。

バランス重視との使い分けは、コブの形状による部分が大きい。幅の広いコブに適した滑り方だ。

POINT

1. スキーの動きをシミュレーションする
2. コブ斜面でシュテムターン

POINT 1

スキーの動きをシミュレーションする

トップの向きを極端に下へ向けずにエッジを切り換える
ミゾの外側（バンク）の形状に沿ってスキーが回ってくる
ミゾの形状に沿って、深いターン弧を描く

回転性重視のショートターンの動きになる。そのため、半円のようなターン弧を描く。上下左右に幅の広いコブに適している。逆に階段のような段々コブには適さないライン。

POINT 2

コブ斜面でシュテムターン

トップが下を向かないようにして、山側のスキーを開き出す
自分でスキーをひねらず力を加えていると、ミゾに沿ってターンがはじまる
スキーが回り込んでターンが終わるまで、スキーに力を加え続ける

バランス重視に慣れていると、すぐにトップを谷側へ向けてしまう。するとスキーは、ミゾの内側を通ってしまう。この練習では、スキーがミゾの形状に沿って曲がる感覚がつかめる。

できないときはココ

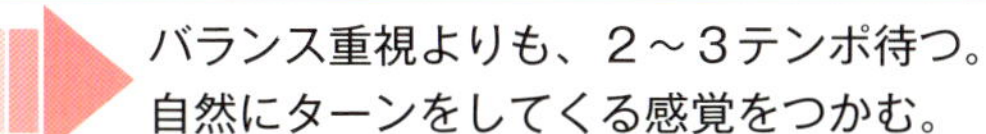

バランス重視よりも、２～３テンポ待つ。
自然にターンをしてくる感覚をつかむ。

チェックしよう!

- □上半身や視線が先行しすぎていないか
- □トップを下に向けない感覚がつかめたか
- □整地のショートターンと同じような、深い回転弧が描けたか

ミゾの外側を通る②

バランス重視
回転性重視

常に雪面を押し続けて滑る

POINT

1. プルークで雪面を押し続ける
2. フォールラインまで押し続ける
3. 曲げすぎるとトップが下を向く

雪を押し続けると、ミゾに沿って曲がる

トップを下に向けなければ、極端にスピードが上がらないため、雪面を押さえやすくなる。

回転性重視の場合に重要なのは、スキーの持つ回転性能を引き出すこと。そのためにはしっかりとスキーに力を加え、スキーがたわんだ状態を作る。スキーが十分にたわむのは、フォールラインを過ぎた辺り。その後は一気に力を抜けばスキーが加速し、ゆっくりと力を抜けば適度なブレーキが続く。このような動きができれば、スキーはミゾに沿って曲がってくれる。

POINT 1

プルークで雪面を押し続ける

プルークでスキーに力を加えながら滑ると、コブの形状に沿ってスキーが動く。またこのとき、自分でスキーを押せる部分（ターン前半から中盤）と雪に押される部分（ターン後半）が感じられる。

POINT 2

フォールラインまで押し続ける

プルークで感じたように、フォールラインを過ぎた辺りまでは、スキーを押していける。両脚をそろえて滑る際には、フォールライン辺りまで脚を伸ばして雪を押す意識を持つ。

POINT 3

曲げすぎるとトップが下を向く

コブからの衝撃を吸収しようとしたり、自分から脚を曲げると、ポジションがカカトになる。そのためカカト辺りを中心にスキーが回転し、トップが下を向きやすくなる。

NG

できないときはココ プルークで１ターンする。押しつける動きと力を入れない動きをすると、違いが感じられる。

チェックしよう!

- □スキーに力が加わっている感覚があるか
- □スキーが体から離れながらも、ターンをしてくるか
- □暴走せずに滑れたか

COLUMN

一般スキーヤーに聞く
いまどきのスキー事情 04

上手くなったと実感できた瞬間

滑れない斜面が滑れるようになったり、新しい感覚が得られたときに、人は自分の上達を実感できる。

自分が上達したなと感じられた瞬間は、どんな時間だったのか？　一般スキーヤーの皆さまに聞いてみた。

第1位 主な声 滑っている自分に余裕が感じられた

「今まではおっかなビックリ滑っていた新雪。それが気持ちよく感じられ、自然に声を出しながら楽しんでいた」（60代女性）
「インストラクターの後ろについて滑ったカービングターン。相当スピードが出ていたはずなのに、冷静に動きが見えて、真似ができた」（40代男性）

第2位 主な声 上手に滑る自分がイメージできた

「クラスの一番最後から滑ったコブ。下からみんなが見ていて緊張するかと思ったら、とても上手に滑る自分がイメージでき、その通りに滑れた」（50代男性）
「6人で滑ったフォーメーション。先頭の人のリズムと同じように最後まで滑れて感動」（70代女性）

第3位 主な声 環境が変わった、人から言われた

「一番上のクラスになったとき。自分には縁がないと思っていたけれど。」（50代男性）
「同じクラスの方にすごく滑りを誉められ、教えてくれと言われた。そんなに自分は滑れれるのか？　と思ったけれど、うれしかった」（40代女性）

Part 5

新雪、クラストを征服

コツ 41

Part 5 新雪、クラストを征服

新雪①

バランス重視
回転性重視

雪の中に壁を作る

POINT
❶スキーを押しつける時間が長くなる
❷押しつけると壁ができる
❸壁を作るイメージを持つ

スキーを押しつけると、雪が中で固まる

新雪が整地と大きく異なるのは、スキーが雪の中に沈むこと。そのため不安定な感じがしたり、思い通りにスキーが動かない感覚を持ってしまう。この沈むことが、新雪の難しさでもあり、楽しさでもある。

スキー操作は整地と同じだ。スキーに重さを乗せて押しつけていくと、雪の中に沈んでいく。それでも力を加えていると、雪が固まって壁ができる。壁ができれば力を抜く。するとスキーが浮いてきて切り換えやすくなる。

新雪はこの繰り返しで滑る。

POINT 1

スキーを押しつける時間が長くなる

新雪ではスキーが沈む分、押し続ける時間が長くなる。整地で押しつけるとすぐに反発が返ってくるが、新雪ではタイムラグがあってから押される。まずはプルークでこの感覚をつかむ。

POINT 2

押しつけると壁ができる

スキーを押しつけるて雪に沈むと、スキーの下にある雪も押しつけられて、固まっていく。こうしてできるのが壁だ。新雪では、この壁を作れるかが肝になる。

POINT 3

壁を作るイメージを持つ

深い新雪ではシュプールが隠れてしまうが、中では必ずこのように固まっている。常にスキーを押しつけながら、このような状態を作るイメージを持つとよい。

できないときは
ココ

雪が深いほど、スキーが沈む時間も増えるため、壁ができるまでに時間がかかる。

チェックしよう!

□スキーを押しつけると壁ができることが理解できたか
□壁とは雪のどのような状態かが理解できたか

新雪②

バランス重視
回転性重視

壁を利用し浮かせて切り換える

スキーを押しつけて壁ができたシーン

力を緩めると壁に押されてスキーが浮上する

スキーが雪の上に出ると、簡単に切り換えられる

壁に押し戻されてスキーが浮く

スキーの幅が広いほど、浮力が大きくなり雪に沈みにくくなる。しかし、ここでいう浮くとは、この浮力を利用した動きではない。コツ41で紹介したように、雪の中には壁ができる。そのときはスキーを押しつけている状態だが、壁ができた後に押しつけを緩めると、壁に押し上げられてスキーが浮いてくる。するとスキーが雪の中から浮上するため、たやすく向きを変えられる。

この動きを利用できないと抵抗の大きい雪の中でスキーの向きを変えるため、思い通りに動かせなくなる。

POINT

1. 壁に押されてジャンプを切り換え
2. 壁を作るタイミングを早める

POINT 1
壁に押されてジャンプを切り換え

ターン後半にスキーを押しつけて壁を作る
壁ができると足元を踏み切れるため、スキー全体が浮くジャンプができる
着地をしたら、そのままスキーを押しつけて再び壁を作る

斜面に対してスキーが横を向くほど、壁が作りやすくなる。まずはターン後半に壁を作り、その壁を利用してジャンプする。上手く壁を使えるとスキー全体が浮くジャンプができる。

POINT 2
壁を作るタイミングを早める

プルークで滑る。フォールラインを過ぎた辺りで壁を作る
壁ができたら徐々に力を緩める
スキーが浮上したら反対側の脚でスキーを押して、再び壁を作る

スキーを回し込むほど切り換えが辛くなるのは、整地も新雪も同じ。そのため、壁が作れるようになったら。徐々に壁を作るタイミングを早める。フォールライン過ぎが理想だ。

できないときはココ

押しつけるときにポジションがカカトに寄りすぎると、上手に壁ができない。ポジションは足裏全体。

チェックしよう!

- □壁を利用してスキー全体を浮かせるジャンプができたか
- □真横よりも早いタイミングで壁を作れたか

新雪③

バランス重視
回転性重視

体の軸をまっすぐに保つ

POINT
❶軸がまっすぐだと
ダイレクトに力が伝わる
❷切り換えで軸を確認

ダイレクトに力が伝わるから、壁が作れる

柔らかい雪にスキーを押しつけて固めるためには、体の軸がまっすぐになっている必要がある。もしも体の軸が歪んでいれば、ダイレクトに力が伝わらずにスキーが流れてしまい、一向に壁ができなくなる。

またポジションが前過ぎたり、後ろ過ぎても上手く壁が作れない。ポジションは足裏全体が理想だ。

ときどき、新雪はカカト寄りという話を聞くが、あればスキーの浮力を引き出すポジションになる。壁を作る上では不向きのポジションなので注意。

POINT 1

軸がまっすぐだと
ダイレクトに力が伝わる

両手を真上に上げた、軸が左右にブレやすい姿勢で滑る
まずはこの姿勢で１ターンをし、壁を作ることを目標にする
壁が作れるようになったら、連続ターンに発展させる

両手を上げると左右のバランスが取りにくくなるため、体が回りやすくなる。そうなると上手く壁が作れない。この姿勢で壁が作れるようになれば、まっすぐな軸が作れている証拠だ。

POINT 2

切り換えで
軸を確認

ターン後半に両ストックを前に出す
切り換えと同時に、おへその前でストックを打ち鳴らす
その姿勢から次のターンに入る

おへその位置（重心）を両スキーの真ん中に戻すことで、毎ターンまっすぐな軸を作る練習。この状態から切り換えにくい場合は、普段の滑りの軸が左右にブレたり、先行動作が強い。

できないときはココ

高い姿勢を取れば軸がまっすぐな訳ではない。シュプールを見ながら、壁が作れる姿勢を探そう。

チェックしよう!

- □壁を作れる姿勢が取れたか
- □壁を作る感覚がより鮮明になったか
- □体の軸を一定にして滑れたか
- □壁を使って切り換えられたか

コツ 44

新雪④

バランス重視
回転性重視

壁を作る動きを洗練させる

POINT
❶前後に狂いやすい姿勢で壁を作る
❷外脚１本で壁を作る

新雪の深さと雪質は常に変わる

新雪とひと口に言っても、標高や気温が変われば雪質が変わり、斜度や地形の変化によって積雪量も変わる。そのため、毎ターン同じ長さで力を加えれば、必ず壁ができるという訳ではない。極端な例では、毎ターン変わることもある。

そのような状況に対応するためには、壁を作ったり、壁ができたときの感覚を持つこと。

そのためには、様々な拘束トレーニングをして、壁作りが難しい状態から壁を作る練習をしてみよう。

POINT 1

前後に狂いやすい姿勢で壁を作る

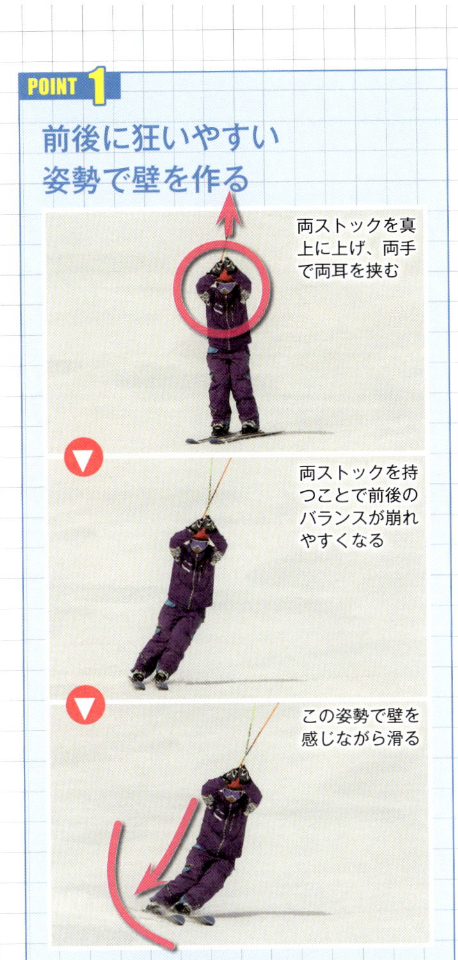
両ストックを真上に上げ、両手で両耳を挟む
両ストックを持つことで前後のバランスが崩れやすくなる
この姿勢で壁を感じながら滑る

この練習と同じ効果があるバリエーションでは、気をつけをして滑ったり、体の後ろで腕を組んで滑る練習がある。姿勢が崩れやすいときは、体の軸とポジションを意識して調整する。

POINT 2

外脚1本で壁を作る

スキーは平行のまま、切り換えで外脚を開き出す
外脚を雪面に押しつけていく
フォールライン手前で脚を下ろし、壁を利用してターンを仕上げる

外脚1本で滑ると、両脚で滑るときと比べてスキーの浮力が減り、雪に潜りやすくなる。沈みやすい姿勢で滑ることで壁ができる感覚や、壁を使う感覚がより敏感に感じられる。

できないときはココ

緩斜面や斜度変化がない所では変化が少ない。難しそうなシチュエーションを選んでみよう。

チェックしよう!

- □拘束された壁が作りにくい状況でも、安定して新雪を滑れたか
- □急斜面や難斜面でも確実に壁を作って、一定のスピードのターンができたか

新雪⑤

バランス重視
回転性重視

ストックワークはリズムワーク

フォールラインを
過ぎたら、ストッ
クを構えはじめる
ストックを突きな
がら切り換える
腕の動きを止めず
に、反対側のスト
ックを構えはじめ
る

一定のリズムを取って滑る

連続でターンをする場合に重要なのがリズム。一定のリズムを作れると、連続してターンができる。また、多少バランスを崩してもリカバリーがしやすくなる。

毎ターン深さが変わる新雪では、整地のようにエッジングでリズムを作ることが難しい。そこでストックワークが大切になる。一定のリズムでストック（腕）を動かすことで、全身をリズミカルに動かせるようになる。

脚の動きを覚えても上手くいかない場合は、腕の動きも考えてみよう。

POINT

1. 腕の動きを止めない
2. 突いたらすぐに下ろす
3. 深雪は、肩から腕を回す

POINT 1

腕の動きを止めない

腕の動きが止まると、一定のリズムが作れない。それどころか、体が引けたり腰が回る原因になりやすい。左右交互に、ゆっくりとストックを動かし続ける習慣をつけるとよい。

POINT 2

突いたらすぐに下ろす

ストックを突いたら、すぐに拳の位置を下げたり、反対側の腕を動かす。いつまでも突いたままだと、ストックのリング（バスケット）が抜けなくなり、体が遅れやすくなる。

POINT 3

深雪は、肩から腕を回す

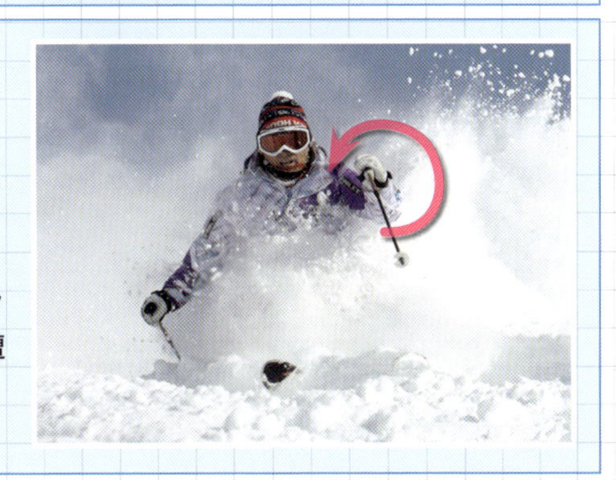

胸まで埋まるような深雪の場合は、「（水泳の）クロールのように動かせ」という人もいる。そうしないとストックが埋まったままになるからだ。深雪に遭遇したらぜひ試してみよう。

できないときは ココ

滑り出す前に、ストックワークのリハーサルをする。

チェックしよう!

□ストックが抜けなかったり、腕をもっていかれる感覚がなく滑れたか
□滑らかにストックを動かしながら、一定のリズムを作れたか

コツ
46

新雪⑥

バランス重視
回転性重視

リズムやターン弧を変えてレベルアップ

POINT
❶他の人とリズムを合わせる
❷ロングターンで滑る

リズムを変えることで対応力が高まる

難斜面や難雪は、自分が持っている一定のリズムで滑りがちになる。ところが、ひとくちに新雪と言っても、斜度や雪の深さでリズムが変わってくる。

例えば、斜度が35度を超えるような急斜面の新雪では、スキーを横に向けた途端にスキーがブレーキとなり、脚を取られて転倒する。そうならないためには、スキーと一緒に落下する距離（落差）が必要になる。こういった対応力を磨くには、人のリズムに合わせたり、ターン弧を変えることが近道だ。

POINT 1 他の人とリズムを合わせる

同じ方向にターンすると、雪煙で前が見えないため、逆方向がおすすめ
ハイ
ストックを突くタイミングを合わせると、リズムが合いやすい
前が見えないほど深雪の場合は、先頭の人がストックを突くタイミングで声を出す

人の後ろに着くと、落差の違いを体感できる。そのため、前の人に離されないことを目標に滑る。横に並んでも落差の練習になるが、前後の方が常に前の人を視界に捉えられる。

POINT 2 ロングターンで滑る

雪の壁を作るのはショートターンと同じ。壁を作って切り換える
上体からターンに入ると、足場が作れない。足元や腰からターンに入る
壁ができたかを感じながらターンを終える

ロングターンで滑ると、よりスピードが速くなり、より不安定な状態になりやすい。特に上手く壁を作りにいけないと、ターン前半が不安定になる。確実に壁を作るよい練習になる。

できないときはココ

人と滑る場合は、ストックや落差など、合わせる動きを１つに絞る。

チェックしよう!

- □前の人の動きに合わせられたか
- □ロングターンでも壁を確実に作れたか
- □前の人のターン弧が乱れたりラインが変わっても、しっかりとついていけたか

新雪⑦

バランス重視
回転性重視

新雪のよくあるNGと対策

POINT
❶新雪でもポジションは足裏全体がセオリー
❷上体を回してもスキーは回らない

スキーよりも体を使うほど、上手く滑れない

新雪では、間違った定説がある。それが「ポジションはカカト」と「上体から振り込む」ということ。パウダーに特化したファットスキーの場合はさておき、ゲレンデで使用する一般的なスキーでは、弊害になることがほとんどだ。

ポジションは、はじめからカカトではなく、結果的にカカト側になりやすい。また、足元に壁ができた後で上体からターンに入ることもあるが、まずは壁づくりが必須。上手く滑れないときは、自分のイメージを変えてみよう。

POINT 1 NG

新雪でもポジションは足裏全体がセオリー

カカト側のポジションで滑ったNG例
トップ側が浮いているが、重さが乗っていないため不安定になる
安定させるためには、体を内側へ傾けるしかなく、それがさらにバランスを崩す原因になる

新雪でもポジションは足裏全体。スキーのトップ側が広く、浮力が大きいため、結果的にカカト側が沈むことになる。トップ側を雪に沈めるくらいのポジションで滑ってもよい。

POINT 2 

上体を回してもスキーは回らない

上体を谷方向に向けることでターンをはじめたNG例
整地では雪の抵抗が少ないため、ターンになる。これが抵抗の大きい新雪だと…
体が山側に残り、谷脚が流れてしまう。そのため、壁が作れない

雪の中のスキーは、雪の抵抗が大きいため、自在に動かせない。そのため壁を作り、壁からの反発でスキーを浮かせてから向きを変える。常にスキーが浮いた状態で向きを変える。

できないときはココ 

大げさにNGの動きをすると、効率の悪い要素を感じられる。

チェックしよう!

- □ポジションは足裏全体か
- □スキーが浮いた状態で切り換えているか
- □新雪でよく言われる定説が、なんで間違っているかを理解できたか

コツ 48 Part 5 新雪、クラストを征服

クラスト①

バランス重視
回転性重視

クラストが難しいのは雪の層の数や質が変わるから

整地
新雪
新雪の層

クラスト
硬くなった層
新雪の層

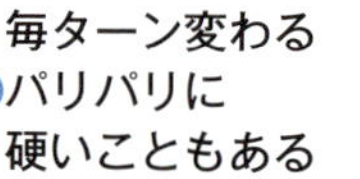

POINT

❶見ただけではわからないことも多い
❷潜る度合が毎ターン変わる
❸パリパリに硬いこともある

状況が異なる雪質の連続

一般的な位置づけでは、積もりたての比較的柔らかい雪質を新雪、表面が風や溶けて固まり締まった雪質をクラストと呼ぶ。風が強い日にゲレンデで見かける風紋が見える斜面の雪質もクラストだ。クラストが難しいのは、上の図のように、雪が何層にもなっているから。そのため新雪のように一定の沈み方をしない。さらに、風があたる場所とそうでない場所や、陽があたる場所とそうでない場所でも層の数や質が変わる。とはいえせっかく出会ったのであれば、滑らない手はない。ぜひ挑戦しよう。

POINT 1

見ただけでは わからないことも多い

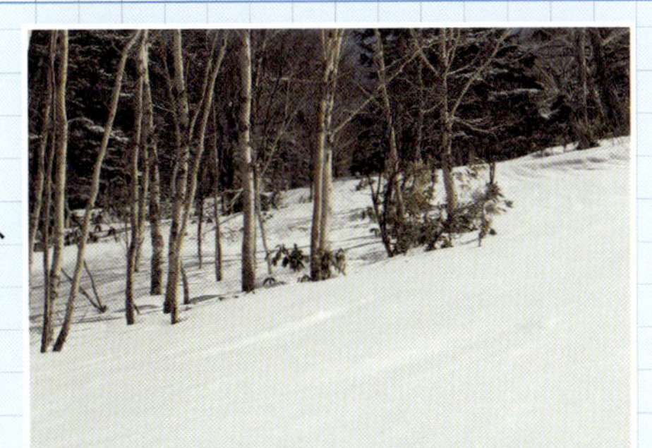

風紋がはっきりと見える場合は別だが、見た目では気持ちよさそうな新雪に見えることが多い。うっかりと飛び込んで痛い目に合わないよう、ストックで斜面を刺して事前にチェックしよう。

POINT 2

潜る度合が 毎ターン変わる

ひどい場合には、1ターン毎に硬い雪と柔らかい雪、風で締まった雪と溶けて締まった雪とが、混在していることがある。このような状況に対応できることを目指してみよう。

POINT 3

パリパリに 硬いこともある

春に多いクラストが、暖かい日中の陽射しで溶けた雪が、冷えて固まったもの。斜面がフラットであれば見た目ではわからない。ひどいものはシュプールがそのまま凍っている。

できないときは ココ

クラストはどんな雪質か、なんで難しいのかを理解しよう。

チェックしよう!

□風で締まったクラストを、ウィンドクラストという
□溶けて固まったクラストを、サンクラストという

コツ 49

クラスト②

バランス重視
回転性重視

雪に潜る場合は壁を作る

POINT
❶壁を利用してスキーを宙に出す
❷足裏全体に全体重を乗せる

下（雪）が変わるだけで、上（体）は同じ

新雪で覚えた壁の作り方が、クラストでも必須の技術になる。クラストと新雪の大きな違いは、雪の固さだ。そのため、浮力の大きいトップが大きく浮かされたり、浮力の小さいカカト側が一気に沈むこともある。そのような状況でも壁を作るには、ポジションが重要になる。毎ターン、確実に足裏全体に体重を乗せることと、体重を乗せられる位置にいること。そのためには、飛んだり屈んだりと、常に体が動かされる。不安定な状況でポジションを安定させる、技術を磨ける場でもある。

POINT 1

壁を利用して スキーを宙に出す

自分の動きは、全体重をスキーに伝えて壁を作りにいく

壁ができればスキーが走って雪の上に出る

雪の上で体の真下にスキーを置き、足裏全体で再びスキーに重さを伝える

自分の動きは、新雪とまったく同じだ。それに対してスキーが潜る量は、雪質によって変わる。常に切り換える時にポジションをスキーの真上に置くことを心がける。

POINT 2

足裏全体に 全体重を乗せる

整地や新雪と同様、全体重を乗せてターンをする

壁を作ったら、ジャンプや立ち上がりで体の真下にスキーを戻す

硬い雪などで反発が強い場合には、抱え込むことでスキーを体の真下に戻す

足元の不安定な状態で大切なのは、切り換え時に、スキーを体の真下へ戻すこと。そのためには、飛んで切り換えることもあれば、屈んで切り換えることもある。

できないときは ココ

難しい状況ほど、やることをシンプルにする（ポジションと加圧）。

チェックしよう!

□足裏全体に体重を乗せるポジションがイメージできているか
□壁を作る動きとイメージが持てているか
□クラストでも、壁を作る動きとイメージを持って滑れたか

クラスト③

バランス重視
回転性重視

雪に潜らない場合はスキーを回し込む

POINT
❶スキーに体重を乗せていく
❷十分にスキーを回し込む
❸小さなミスは気にしない

雪が硬くて沈まない状況での対処法

スキー全体に重さを乗せたら、思いのほか雪が硬くて沈まない、といったこともクラストではよくある。このような雪質では、強い反発が一気に自分へ返ってくる。当然スキーは前に走るため、一瞬で体が置いていかれる場合が多い。

そうならないためには、スキーを確実に回し込むこと。エッジングをして回し込めば、スキーに置いていかれることもなくなる。ある程度スピードに乗って滑っている場合は、コブで使ったベンディングも有効な技術になる。

POINT 1

スキーに体重を乗せていく

脚を体から離しながら、自分の重さを乗せていく動きは変わらない。はじめから硬い斜面だと解っていれば、ターン前半から積極的にスキーを離していくのも有効だ。

POINT 2

十分にスキーを回し込む

回し込むといっても、スキーをひねって向きを変えるのではない。整地と同じように、スキーをたわませて回し込む。ひねるとスキーが横を向きすぎて、次のターンが辛くなる。

POINT 3

小さなミスは気にしない

難しい斜面を滑るときに、1ターン毎の成果を気にする必要はまったくない。難斜面は乱れて当たり前だ。それよりも、止まらずに、ターンを続けらたり、楽しむことが大切。

できないときは ココ

複数で滑る場合は、なるべく後から滑り、雪質を十分にチェックする。

チェックしよう!

- □スキーに置いていかれなかったか
- □止まらずにターンを続けたか
- □難しい状況に挑戦できたか
- □楽しめたか

スキー用語解説

本書では極力専門用語を使わずに解説をしたつもりですが、
スキー独特の表現も出てきます。
ここでは改めて、本書に出てきた用語を、わかりやすく説明します。

❶山脚と谷脚

斜面の下から見て、山側にある脚を山脚、谷側にある脚を谷脚と呼びます。山脚と谷脚は、両方のスキーが真下を向くフォールラインで入れ変わります。

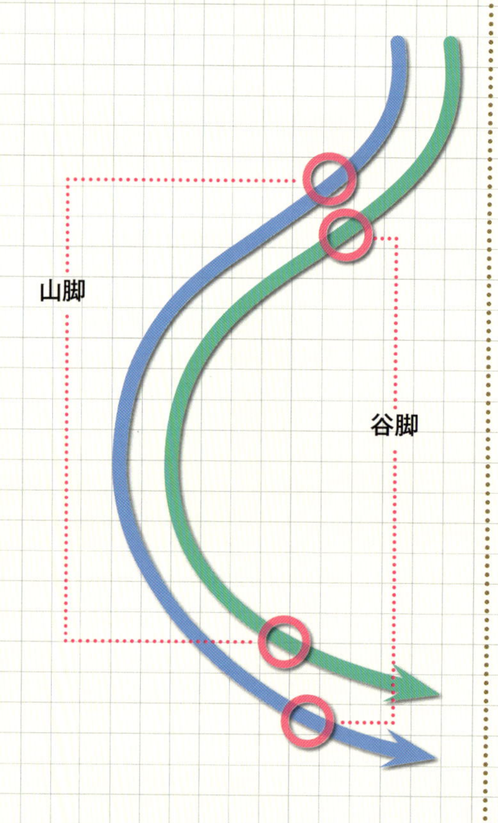

山脚
谷脚

❷外脚と内脚

１つのターン中に、外側にある脚を外脚、内側にある脚を内脚と呼びます。ターンの方向が変わる切り換えで、外脚と内脚が入れ変わります。

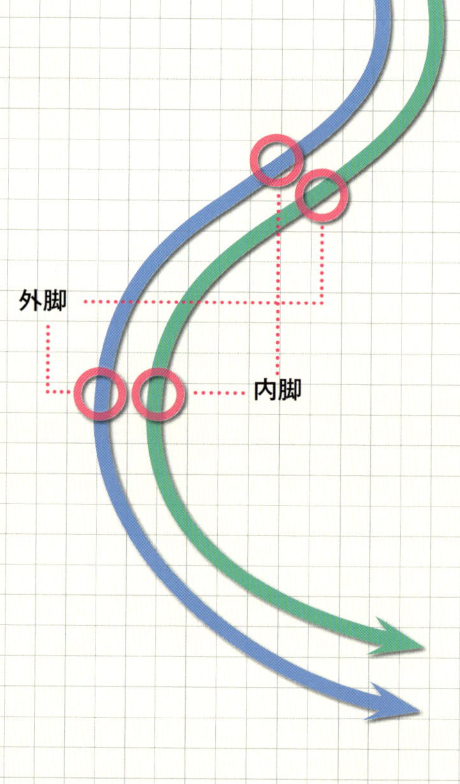

外脚
内脚

❸山スキーと谷スキー、外スキーと内スキー

1つのターン中、ターンの外側にあるスキーを外スキー、内側にあるスキーを内スキーと呼びます。また、斜面の下から見て山側にあるスキーを山スキー、谷側にあるスキーを谷スキーと呼びます。

山スキー
外スキー
谷スキー
内スキー
谷スキー
外スキー
山スキー
内スキー

❹フォールライン

斜面の上と下を一本の架空の線で結ぶとします。この時に一番急になるラインをフォールラインと呼びます。

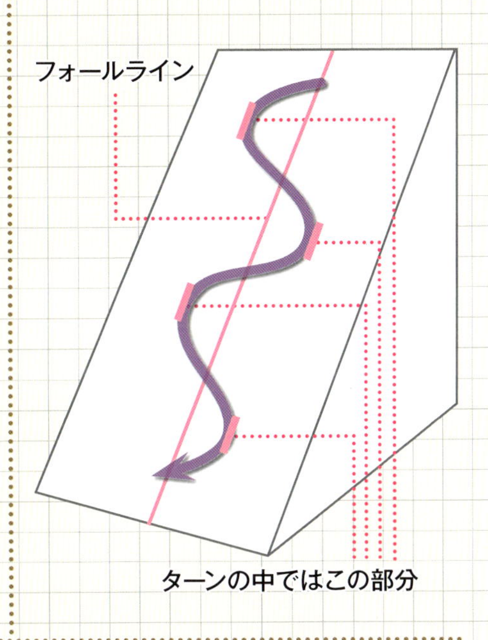
フォールライン
ターンの中ではこの部分

❺ターン前半とターン後半

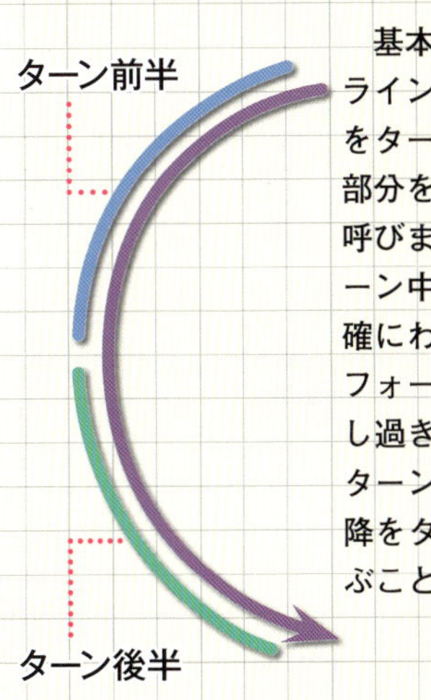
ターン前半
ターン後半

基本的にフォールラインより上の部分をターン前半、下の部分をターン後半と呼びます。実際のターン中はここまで明確にわかれておらず、フォールラインを少し過ぎた辺りまでをターン前半、それ以降をターン後半と呼ぶこともあります。

❻山回りと谷回り

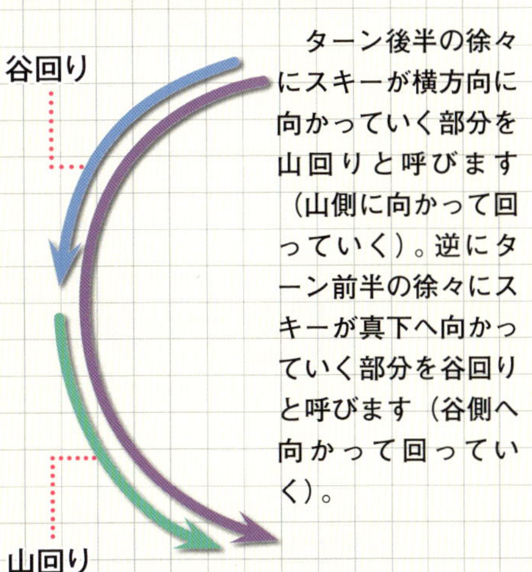
谷回り
山回り

ターン後半の徐々にスキーが横方向に向かっていく部分を山回りと呼びます（山側に向かって回っていく）。逆にターン前半の徐々にスキーが真下へ向かっていく部分を谷回りと呼びます（谷側へ向かって回っていく）。

❼切り換え

ターンとターンのつなぎめです。ターン後半と次のターン前半をつなぐ部分になります。スキーの方向を変える必要があるため、一番難しい場所になります。

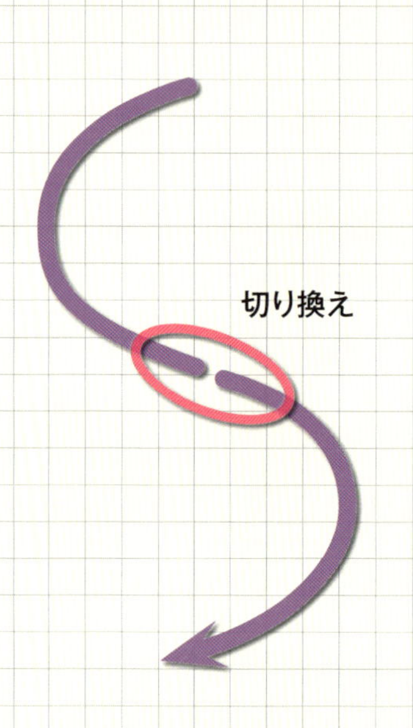
切り換え

❽スタンス

両脚の幅を指します。両脚の幅が広いほど両スキーのエッジを独立して使いやすく、幅が狭いほど両スキーを１本のスキーのように扱えるため、同時に動かしやすいという特徴があります。また、コブや新雪のように左右のスキーに高低差が出やすい場面では、スタンスを狭くした方が滑りやすくなります。

スタンス狭
スタンス広

❾加圧、荷重

スキーに対して自分の重さを加えていくこと動きを指します。以前は体重を真下に伝える動きがメインであったため、荷重という言葉が使われていました。現在は体重をターン外方向に伝える動きがメインとなったため、加圧と表現することもあります。多くの場合は、スキーに重さや力を加える同意語として使われています。

加圧

⑩外向傾姿勢

ターン外側に上体を向け、傾く姿勢を指します。スキーの形状が長くまっすぐだった時代には、曲がりにくいスキーの向きを、自分から動くことで変える必要がありました。この頃はバランスが取りやすい外向傾姿勢を、自分からつくる姿勢として捉えられていました。現在ではスキーが曲がりやすくなったため、自分から極端にこの姿勢をつくることはなくなり、自然にできる姿勢という捉われ方になっています。

⑪先行動作

次のターンに入りやすいように、切り換え前から体や視線を動かすことを指します。先行動作が的確だと楽に次のターンに入れます。一方で先行動作のタイミングを間違えたり、体を動かす量が大きすぎると、バランスを崩す原因となります。

一般スキーヤーに聞く
いまどきのスキー事情 05

YouTube「佐々木常念のオンラインスキーレッスン」

2015年頃からはじめたYouTubeですが、僕のスキーへの考え方をお伝えしたかったことがきっかけです。例えばレッスンに来てくれた方が悩んでいるポイントを公開することで復習してもらったり、お会いしたことのない方々の上達のヒントになればと考えています。また「もう少しこのようなことができればさらに気持ちよく滑れるようになるのに」、「ここを直せばもっと安定して滑るのに」と感じたスキーヤーの方々の上達のヒントにしてもらいたい気持ちもあります。それから僕のレッスンに興味を持ってくれた方々に僕のレッスンスタイルを公開することで、「行ってみよう」「ちょっと合わなそうだな」という判断材料にしていただけたらとも思っています。

そのため広告収入を得ないようにしています。もし広告収入を得ようとすると、本来の目的からずれてしまい、視聴回数を増やす頭になってしまう可能性があるからです。

今後もそのスタンスを変えずに配信を続けていきますので、ぜひ皆さん一度ご覧ください。

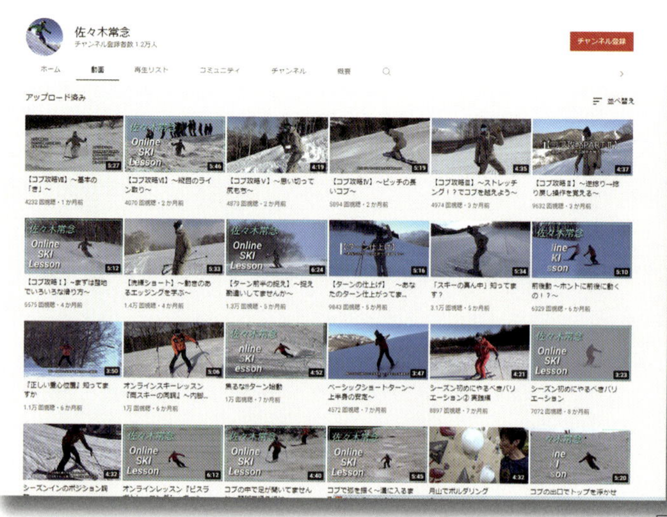
佐々木常念
チャンネル登録
ホーム
動画
再生リスト
コミュニティ
チャンネル
概要
アップロード済み
並べ替え

佐々木常念のオンラインスキーレッスン
https://www.youtube.com/channel/UCaxRH6mtOM_z4A7jjkPV3_Q

Part 6

スキーに効く！
実践的トレーニング

体幹トレーニングでポジション強化

雪上を滑るうえでなによりも大切な要素がポジションになる。どれだけ上手なスキー操作ができても、ポジションが悪ければ質のよいターンにはならないからだ。滑走中に前後左右上下へ動かされるポジションをよい位置でキープするためには、体の幹を強くする必要がある。そのためには体幹トレーニングが有効で、なかでもおすすめの6種目を紹介する。毎日実践していくと必ず自分の滑りに安定感を感じられる日が来る。

体幹トレーニング01

プランクで体幹部を安定させる

時間や回数の目安
30〜60秒
×3セット

プランク（plank＝板）は板のように腹筋を固めてお腹周りの深部の筋群を鍛える。まずは腕立て伏せの姿勢を取る。肩の真下にヒジを置き、頭からお尻までが一直線になるようにする。肩や腕の力を抜き、お腹を引き締めた状態で姿勢をキープする。背中が丸ってしまう場合にはお尻に力を入れるとよいフォームが作りやすくなる。

体幹トレーニング02

腹部の側面を鍛える サイドエルボーブリッジ

SALOMON
SALOMON

サイドエルボーブリッジはお腹の側部にある腹斜筋や腹横筋を鍛えるトレーニングになる。まずは横向きで床に寝て、肩からくるぶしまでが一直線になるようにする。ヒジは肩の下に置く。足とヒジだけが床につくように体を持ち上げてその姿勢をキープする。体が捻じれないように注意すること。

時間や回数の目安

左右交互に 30〜60秒 ×3セット

体幹トレーニング03

リバースプランクで体の背面を強化

時間や回数の目安
30〜60秒
×3セット

リバースプランクはお尻や背中など背面の大きな筋肉を鍛えることができる。床に座り、両脚を揃えて前に伸ばす。お尻の後ろに両手を置き、指先はお尻のほうに向ける。ゆっくりとお尻を持ち上げ、お尻から背中にかけて一直線にしてキープする。腰が落ちないようにお腹を引き上げる。

体幹トレーニング04

背筋を鍛える バックフルアップ（並行）

時間や回数の目安
30〜60秒
×3セット

バックフルアップは広背筋や脊柱起立筋を鍛えることができ、同じ姿勢を維持することで体幹部の安定感を引き出す。うつ伏せになり、脚を腰幅に開いて両手を顔の横に置く。そして胸から股関節までの部位以外を持ち上げる。腰が反りすぎないように注意して行う。

体幹トレーニング05

フロントブリッジでお腹周りの強化

フロントブリッジは腹直筋と腹横筋を鍛えることができる。バランスを崩しやすく強度が高いトレーニングになる。腕立て伏せの姿勢を取り、一直線になるように対角にある手足（右手と左足、左手と右足）を伸ばす。左右に傾いたり回転しないようにバランスを取って姿勢をキープする。

時間や回数の目安

左右10秒キープ×5～10回

体幹トレーニング06

お腹周りを鍛える サイドエルボーブリッジ

時間や回数の目安
左右交互に
30〜60秒
×3セット

サイドエルボーブリッジの変形版で腹斜筋や腹横筋を鍛えることができる。横向きで床に寝て、肩からくるぶしまでを一直線する。床側のヒジは肩の下に来るようにして体を持ち上げ、天井側のヒジとヒザをつける。体が捻じれないように注意して姿勢をキープする。

可動域アップでターンの質を上げる

スキーに対して正確に力を伝えたり、スキーの上で安定感を保つためには、股関節や骨盤周りの可動域が重要になる。可動域が小さければ雪上でよいパフォーマンスを発揮することはできない。また左右差が大きいと左右均等な滑りやバランスのよい滑りがやりにくくなる。このような問題を解決する７つの改善トレーニングを紹介する。雪上に立つ前に室内で可動域を広げておくことで、よりよいコンディションでシーズンに入れること間違いない。

可動域アップトレーニング01

スプリットスクワットで臀部と太ももの強化

スプリットスクワットはお尻とハムストリングや内転筋など太もも全体をまんべんなく鍛えられるトレーニングになる。脚を前後に開き姿勢を少し前傾させる。そこから前脚に重心をかけてヒザを曲げていきスクワットをする。前傾しすぎると効果が薄れてしまうので、前足の裏側全体に重心を乗せる。

時間や回数の目安

左右交互に15回程度×2～3セット

可動域アップトレーニング02

骨盤を前後に動かして可動域強化

時間や回数の目安
20回
×2～3セット

スキーを操作するうえで重要になるが骨盤周りや股関節周りの可動域になる。このトレーニングでは骨盤の前後の可動域を広げることが目的。前後の可動域を広げることで骨盤を立てて滑ることができ、後傾になりにくいポジションを作ることができる。また骨盤を立てることで体幹がしっかりと使えるようになる。滑走時に骨盤が立てられない方は、室内のトレーニングでも骨盤が立てられないケースが多いため、このトレーニングを行ってもらいたい。

可動域アップトレーニング03

左右骨盤上げ&骨盤回しで骨盤周りの可動域アップ

時間や回数の目安
左右10回ずつ
×2～3セット

滑走時は左右のスキーに高低差ができる。その際には骨盤の右側が上がって左側が下がったり、その逆の動きになったりを繰り返すことになる。左右骨盤上げでは骨盤の上げ下げを身体に覚えさせるためのトレーニングになる。

また骨盤回しは135ページの前後の動きとこのページの左右の動きをミックスさせた動きになる。どちらも骨盤や股関節周りの可動域を広げるため、滑りの安定感を高めるためには必要不可欠な動きとなる。

可動域アップトレーニング04

脚部回旋で回旋力強化

時間や回数の目安
左右10回ずつ×2～3セット
SALOMON

スキーでは脚部の回旋動作がとても大きなポイントである。どの滑りでも回旋が必要になるが、特にショートターンやコブではより多く必要になる。また難しい雪質など、スキーが回りにくいシチュエーションでも回旋動作は重要になる。

このトレーニングでは骨盤や脚部、足元を左右に回旋する動きを繰り返す。重要なポイントは左右均等に捻ること。多くの方は右に捻った時と左に捻った時の左右差が大きいため、できるだけこの差を小さくする。

可動域アップトレーニング05

段差を使って 下半身の可動域アップ

SALOMON
SALOMON

136ページのトレーニングの発展版になる。足をストレッチポールなどに乗せるため、左右の脚の高低差がより大きくなり、上半身はバランスを取るために外向傾ができる。実際のターンではターンの中盤から終盤にかけて必要になる動きだが、これも左右差がある方が多い。特に窮屈に感じるほうをこのトレーニングで解消してもらいたい。しっかりと股関節や脚部の関節の可動域を広げることで、雪上での動きが大きく変わる。

SALOMON

時間や回数の目安

左右10回ずつ ×2～3セット

可動域アップトレーニング06

クローチングジャンプで腰回りを前に運ぶ

138ページのトレーニングの発展版になる。まずは重心を低くして外脚側に多く体重を乗せ、外向傾姿勢を取る（クローチングの姿勢）。そこから前方にジャンプをしながら腰回りや骨盤を前に運ぶ。この動きはターンの切り換えで必要になる。ジャンプ中は一度、腰回りや骨盤が両脚の真ん中に来るようにする。また着地の際はふらつかず、ピタッっと止まるようにする。ふらつくほうはより重心を下げたり、外向傾姿勢を強めるようにする。

時間や回数の目安

左右3回ずつ×2セット

監修者・あとがき

スキー技術に終わりはないと思っています。マテリアルが進歩し、日々試行錯誤しながらより良いものを追求する。その時の最善の技術を効率よくお客様に伝えていくのが私たちの役目であり、もっと良いものを模索していくことに終わりはありません。昔からも、これからも、変わらない技術と変化していく技術があると思います。難しく考えずに、ベースになる根幹を大事に、枝を大きく伸ばしていく。

私の考えや、伝えたいことを時代に合った形で、シンプルに表現して本を作って頂いた、佐藤紀隆氏には本当に感謝です。

この本を上達のきっかけに、幅広いスキー技術を持ち、いつまでも滑り続け、楽しいスノーライフを送って頂けることを願っています。

また、より多くの皆様と雪上でご一緒できることを楽しみにしております。

佐々木常念

制作協力者・あとがき

どのスポーツも同じだと思いますが、超一流の選手は想像もつかないほど細かい部分まで神経を研ぎ澄ませています。その１人が日本を代表するスキーヤーの佐々木常念氏です。本書では常念氏のスキーに対する考え方を噛み砕き、多くの方にご理解いただけるように編集したつもりです。ぜひとも皆さんのレベルアップに役立ててください。そして同時に、スキーを楽しんでください。

ストイックに練習に打ち込むことはとても素晴らしいことですが、感情をむき出しにして楽しむことも同じくらい魅力的です。

皆さんのいろいろな姿を雪上で拝見できることを、心より楽しみにしております。

Ski-est代表　佐藤紀隆

監修

佐々木 常念（ささきじょうねん）

公益社団法人 日本プロスキー教師協会（SIA）元デモンストレーター

1971年10月12日生まれ、長野県出身。
公益社団法人 日本プロスキー教師協会（SIA）デモンストレーターを23期務める。そのうち4度の優勝を飾る。
世界スキー教師選手権の日本代表として3度派遣。
インタースキーでも日本代表を3度務める。
フランス国家検定スキー教師。公益社団法人日本プロスキー教師協会公認戸隠フランススキー学校に所属。

日本山岳ガイド協会「登山ガイド」の資格を有し、オフシーズンは戸隠周辺やアルプスに於いて登山ガイドを務める。また趣味とトレーニングを兼ね、クライミングやトレランの実践と普及活動も行っている。また自分のスキーへの考え方をYouTube「佐々木常念のオンラインスキーレッスン」で発信している。

佐々木常念
チャンネル登録者数 1.2万人
チャンネル登録
ホーム
動画
再生リスト
コミュニティ
チャンネル
概要
【ターンの仕上げ】 ～あなたのターン…
佐々木常念
Online
SKI
Lesson
0:01 / 5:15
【ターンの仕上げ】 ～あなたのターン仕上がってます！？～
ターンの仕上げは重要です。しかしどの様に仕上げるのか！？
自分のターンは仕上がっているのか！？
分かりやすく解説しています。
アップロード動画
すべて再生
5:27
5:46
4:19
5:19

Ski-est代表 佐藤紀隆

制作協力

Ski-est（スキーエスト）

Blue Resort NORIKURA（マウント乗鞍）で合宿制のスキースクールを運営する（公益社団法人日本プロスキー教師協会公認校）。また、オーストリアとの結びつきも強く、毎年デモンストレーターを招いたスキーキャンプを開催している。スキー学校のモットーは「世界中の雪質を滑れる技術を、自分のものに」。初心者のレッスンでも、積極的にコブ斜面や新雪を使い、形だけに捉われないスキー指導を行っている。代表の佐藤紀隆は、数多くのスキー関連書籍を出版している。

Ski-est事務局
〒160-0022
東京都新宿区新宿1-35-10
カテリーナ新宿御苑505
電話：03-5919-0145
E-mail：ski@ski-est.com
Web：www.ski-est.com

Ski-est乗鞍校校長 高橋裕之

Ski-est 稲見紫織

取材協力

志賀高原スキー場

上信越高原国立公園の中心部を占め、標高1,200〜2,300mの間に19のスキー場がひしめいている。1998年長野オリンピックの会場ともなった、日本最大のスキーエリア。リフトとバスを使ったスキー場廻りは、1日中滑ってもとても滑りきれないほど。雪質はもちろん極上のパウダー。ゴールデンウィークまで続く長いシーズンもウリのひとつ。

STAFF
●制作／株式会社多聞堂
●編集・構成・執筆／佐藤紀隆
稲見紫織
●撮影／眞嶋和隆
●デザイン／田中図案室
●イラスト／仲谷明奈
●取材協力／志賀高原スキー場
シャレー志賀
アメアスポーツジャパン㈱
㈱ジャパーナ
㈱ウベックススポーツジャパン
㈱ファーマ・プレディクション

スキー　レベルアップバイブル　増補改訂版
正しい技術で完全走破！

2022年11月15日　　第1版・第1刷発行

監修者　佐々木　常念（ささき　じょうねん）
発行者　株式会社メイツユニバーサルコンテンツ
代表者　大羽　孝志
〒102-0093 東京都千代田区平河町一丁目1-8
印　刷　株式会社厚徳社

ご意見・ご感想はホームページから承っております。
ウェブサイト　https://www.mates-publishing.co.jp/

編集長：堀明研斗　企画担当：堀明研斗

※本書は2018年発行の『スキー　レベルアップバイブル　正しい技術で完全走破！』を元に、
内容の追加と必要な情報の確認を行い、「増補改訂版」として新たに発行したものです。